LLWYBR LLAETHOG LLUNDAIN

LLWYBR LLAETHOG LLUNDAIN

*Hanes busnesau llaeth y Cardis
yn y ddinas*

Megan Hayes

GOL: LYN EBENEZER

Cyflwynedig
i fy rhieni
Dan a Leisa Jên Lloyd
a phawb a fu'n teithio'r llwybr llaethog

Argraffiad cyntaf: 2014

ⓗ Megan Hayes

Cyhoeddir gan Wasg Carreg Gwalch,
12 Iard yr Orsaf, Llanrwst, Conwy, LL26 0EH.
Ffôn: 01492 642031 Ffacs: 01492 641502
e-bost: llyfrau@carreg-gwalch.com
lle ar y we: www.carreg-gwalch.com

Rhif rhyngwladol: 978–1-84527-484-9

Mae'r cyhoeddwr yn cydnabod cefnogaeth ariannol
Cyngor Llyfrau Cymru

Cynllun clawr: Eleri Owen

Cynnwys

I. YMADAEL

Roedd crafanc y nawdegau
Yn turio at fêr y tir;
Eidionnau'n mynd am ganu
Cyn brigo o flewyn ir,
A chorddi'r 'menyn cymell
Ar feddal hafddydd hir.

Fe droes Dai bach, bentymor
I'r stryd o'r crinllyd lain,
Gan gamu'n esgus-dalog
Dros riniog bwth ei nain,
Yn llanc â da ei logell
Ond sofren felen, fain.

II. DYCHWELYD

Hanner canrif ym mwrllwch Soho,
A chloes y siop am yr olaf dro;
Dringodd binaclau ei alltud werin –
Plas yn y faesdref a blaensedd yn Jewin.

Yng ngŵydd y dyrnaid o hynafgwyr syn,
Yn eu brethyn du a'u coleri gwyn,
Rhyw uchel Fehefin, drwy bersawr gwair hadau
Aed â Dai'r gwas bach yn ôl at ei dadau.

John Roderick Rees
Cerddi John Roderick Rees

Cyflwyniad

Dechreuodd y gyfrol hon ei bywyd fel erthygl yn nhaflen newyddion Llanerchaeron, tŷ mawr lleol sy'n eiddo i'r Ymddiriedolaeth Genedlaethol. Gwnaeth hyn i mi sylweddoli cyn lleied o fewnfudwyr oedd yn gwybod unrhyw beth am hanes economaidd a chymdeithasol y rhan hon o Gymru yn y ganrif ddiwethaf, a sut y daeth hyn â marchnata llaeth yn Llundain yn nodwedd mor sylweddol o'r sir hon.

Arweiniodd hynny at wahoddiadau i gyflwyno anerchiadau ledled y sir ar yr hanes. A buan y daeth yn amlwg fod yna gyfoeth o wybodaeth ar y pwnc yn bodoli ymhlith hen deuluoedd sefydledig yn y sir, gwybodaeth sydd heb gael ei chofnodi ac yn prysur droi'n chwedloniaeth a chamsyniadaeth. Mae'n sicr fod angen cofnodi a chadw'r hanes hwnnw cyn i'r atgofion fynd ar goll am byth. Dyna'r symbyliad dros lunio'r gyfrol hon.

Does yna fawr ddim ffynonellau gwreiddiol wedi'u defnyddio ar gyfer gosod y darlun yn y ddeunawfed a'r bedwaredd ganrif ar bymtheg. Gwnaed llawer o waith ymchwil yn y maes hwn a gwnaed cryn ddefnydd o'r hyn sy'n bodoli eisoes. Ceir darlun cyffredinol arbennig o drawiadol gan Charles Booth yn *The Life and Labour of the Poor in London 1896–1903* ar y pwnc yn ystod rhan o'r cyfnod dan sylw. Ond cyfnod ychydig yn ddiweddarach sy'n fwy perthnasol i mi, sef oes aur y Cymry yn Llundain ddiwedd y bedwaredd ganrif ar bymtheg a hanner cyntaf yr ugeinfed ganrif, ac yn enwedig hyd at yr Ail Ryfel Byd.

Prif ffynhonnell gweddill y gyfrol hon yw atgofion personol pobl a fu mor garedig â rhoi o'u hamser i gofnodi'r hyn fedrent ei adrodd o'u hatgofion o fywyd yn y fasnach laeth yn Llundain yn ystod yr ugeinfed ganrif. Gobeithiaf fod rhywfaint o awyrgylch bywyd Llundain yn ystod y cyfnod wedi'i ail-greu. Ychydig iawn sy'n bodoli mewn print ar wahân i gyfeiriadau gan awduron fel Dai Jones yn *Fi, Dai Sy' 'Ma* a John Meredith yn *Yr Hyn Ydwyf* ac yn arbennig gan Gwyneth Francis-Jones yn *Cows, Cardis and Cockneys*. Ond hanesion am deuluoedd yr awduron a geir ynddynt yn bennaf, a chipolwg o'r hanes yn hytrach na'r darlun cyflawn sy'n tynnu llinell amser a fydd yn dangos y datblygiad o'r dyddiau cynnar. Gobeithir mai'r hyn a ddaliwyd yma yw rhywfaint o awyrgylch bywyd o fewn cymuned a ddiflannodd gan fwyaf yn hytrach nag astudiaeth academaidd o'r cyfnod dan sylw.

Roedd yna fwlch sylweddol i'w lenwi felly. Gobeithio i mi lwyddo i gau rhyw gymaint ar y bwlch hwnnw.

Megan Hayes
Aberaeron
Gwanwyn 2014

Rhagair

Mae mudo economaidd yn ymadrodd sy'n gyfarwydd iawn i ni heddiw. Fe'i defnyddir i ddisgrifio sut y bu i unigolion a theuluoedd adael eu gwledydd brodorol o ganlyniad i wahanol anawsterau – economaidd neu arall – i chwilio am fywyd gwell. Bu'n digwydd mewn sawl gwlad ac ar draws sawl canrif.

Gellir dweud mai dyma oedd y cymhelliad dros i nifer helaeth o werthwyr llaeth o Gymru ymsefydlu yn Llundain yn ystod ail hanner y bedwaredd ganrif ar bymtheg a hanner cyntaf yr ugeinfed ganrif. Doedd hyn ddim i'w gymharu â dihangfa rhag erledigaeth grefyddol fel yn hanes yr Huguenots mewn cyfnodau cynharach. Ennill tamaid haws o fara a mwynhau bywyd esmwythach yn faterol oedd cymhelliad y Cymry i ddianc o ddirwasgiad a thlodi cefn gwald.

Datblygodd y mudo o ddwy hen alwedigaeth, sef gwaith y porthmyn a'r ceidwad gwartheg. Roedd y grwpiau hyn wedi canfod a datblygu marchnad arbenigol ar gyfer llaeth ffres nad oedd iddo, yn y bedwaredd ganrif ar bymtheg, fywyd hir ar y silff. Arweiniodd oeri'r llaeth a safonau hylendid amgenach at ddatblygu gwerthu llaeth o'r dyddiau cynnar hynny i'r hyn a fodolai yn ystod hanner cyntaf yr ugeinfed ganrif. Ond arweiniodd dulliau marchnata mwy soffistigedig tuag at ddirywiad y fasnach yn y llaethdau bychain yn ystod ail hanner y ganrif honno.

Dyma'r hanes a adroddir yma – hanes y diwydiant cynhyrchu a gwerthu llaeth yn Llundain, ei gefndir cymdeithasol a'r modd y tarddodd o un ardal ddaearyddol yng Nghymru. Mae hwn yn hanes a seiliwyd yn gadarn yng nghof gwerin de Ceredigion, neu sir Aberteifi fel y cyfeirir ati yma, ac yng ngogledd sir Gaerfyrddin. Mae'n hanes sy'n cyflym ddiflannu mewn niwl o chwedloniaeth a chamddehongliad.

Gobeithiaf yn fawr nad yw'n rhy hwyr i mi fedru dal rhywfaint o brofiadau'r bobl hynny a fentrodd i geisio bywoliaeth yn 'y wlad bell'. Yn yr ysbryd hwnnw y cyflwynaf y gyfrol hon.

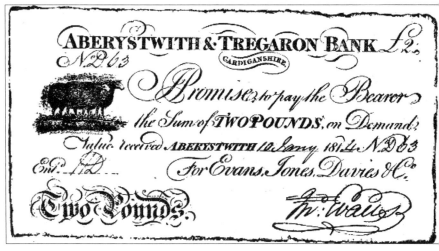

Papur arian Banc y Ddafad Ddu – un o fanciau'r porthmyn

Y Porthmyn

Mae'r arfer o gerdded gwartheg o Gymru i Loegr wedi ei hen sefydlu yn hanes masnach gwerthu llaeth Llundain. Fel y dengys yr arbenigwr Richard J. Colyer mewn gwahanol erthyglau a chyfrolau, ceir tystiolaeth i'r fasnach wartheg fodoli ers canol y drydedd ganrif ar ddeg.

Gellir meddwl am y porthmyn a gychwynnai eu taith yn sir Aberteifi nid yn unig fel rhagflaenwyr neu sefydlwyr y fasnach laeth Lundeinig Gymreig ond fel rhywbeth llawer mwy. Pan mae rhywun yn ystyried hanes porthmona yn y bedwaredd ganrif ar bymtheg gellir canfod nid yn unig sgiliau marchnata'r porthmyn ond hefyd y doniau eraill oedd yn perthyn i nifer sylweddol ohonynt. Roeddent nid yn unig yn arloeswyr entrepreneuraidd; roeddent yn meddu hefyd ar ddiddordebau ehangach. Fe wnaeth rhai sefydlu ysgolion tra trodd eraill yn bregethwyr a gweinidogion ac yn awduron emynau sydd heddiw'n rhan o'r meddylfryd crefyddol Cymreig. Bu rhai'n gyfrifol am sefydlu'r banciau lleol cyntaf, sefydliadau a lyncwyd yn ddiweddarach gan fusnesau cenedlaethol. Mae yna fwy i hanes y porthmyn na dim ond gyrru gwartheg o Gymru i Loegr.

Bu gan y Cymry wartheg i'w hallforio erioed. Roedd hinsawdd gorllewin Cymru yn gyfrifol am sefydlu magu gwartheg fel un o brif alwedigaethau'r rhanbarth. Cyn canol y bedwaredd ganrif ar bymtheg roedd cerdded gwartheg i Loegr i'w gwerthu yno yn fasnach bwysig. Amcangyfrifir bod tua 300,000 o greaduriaid yn cael eu gyrru o Gymru i dde Lloegr, yn cynnwys Llundain, dros y blynyddoedd. Yn ogystal â gwartheg, câi defaid, ceffylau, moch, gwyddau a thyrcwn eu gyrru ar hyd y daith hirfaith. Ond yma, gan mai'r fasnach laeth sydd dan sylw, canolbwyntir ar wartheg yn unig.

Cynhelid ffeiriau gwartheg mewn gwahanol

ganolfannau ledled Cymru. Yn sir Aberteifi roedd y prif farchnadoedd yn niferus, yn cynnwys Tregaron, tref Aberteifi, Cilgerran, ymhlith eraill a thros y ffin yn Eglwyswrw. Byddai'r rhain yn darparu cyfleoedd i ffermwyr werthu gwartheg oedd dros ben i borthmyn a delwyr. Byddai'r bargeinio'n golygu cryn haglo cyn selio'r fargen drwy daro cledr llaw ar gledr llaw.

Yn rhifyn cyntaf *The Carmarthenshire Historian* (1961) mae E. O. James mewn erthygl ar borthmyn y sir yn dyfynnu o gerdd gan Ap Lewis, sef D. E. Davies o Lan-y-crwys. (Gweler Atodiad 1):

O ffeiriau sir Benfro da mawrion i gyd,
A'u cyrnau gan mwyaf yn llathen o hyd
O Hwlffordd, Treletert a Narberth rhai braf,
O Grymych, Maenclochog a Thŷ-gwyn ar Daf.

O Lanarth, o Lambed, Ffair Rhos a Thal-sarn,
O Ledrod, Llandalis y delent yn garn;
O Ffeiriau Llanbydder, Penuwch a Chross Inn,
Da duon, da gleision ac ambell un gwyn;

O Ffeiriau Caerfyrddin da perton ac ir
Ac ambell fyswynog o waelod y sir.
Doi da Castellnewydd a Chynwil i'r lan
At dda Dyffryn Tywi i gyd i'r un man.

Câi'r creaduriaid a newidiai ddwylo eu crynhoi a'u cadw mewn gwahanol ganolfannau ar gyfer trefnu'r daith. Tregaron oedd y ganolfan a ddefnyddid yn ddieithriad gan borthmyn gorllewin Cymru gan mai honno oedd y ganolfan llawr gwlad olaf ar y daith.

Cyn dechrau gyrru byddai'r pen-borthmon yn gwneud yn siŵr fod pob creadur wedi'i bedoli ar gyfer y siwrnai hir oedd yn ei wynebu. Roedd gan borthmyn Tregaron eu gofaint eu hunain. Gwnaed y pedolau o ddarnau bychain o fetel wedi eu gosod yn sownd ar flaen pob carn gan dair hoelen yr un. Câi'r metel ei iro â menyn i atal rhwd. Ar gyfer taith hir, fel honno i Lundain, câi'r gwartheg eu pedoli ar y carnau ôl yn ogystal â'r carnau blaen. Dim ond y carnau blaen gâi eu pedoli ar gyfer siwrnai fyrrach. Un o aelodau allweddol y tîm fyddai'r un oedd yn gyfrifol am gwympo'r gwartheg ar gyfer y pedoli.

> 'Gwaith anodd oedd y pedoli,' meddai R. T. Jenkins yn ei gyfrol *Y Ffordd yng Nghymru*, 'rhoi rhaff am goes y fuwch a'i baglu, a chadw ei phen i lawr nes iddi syrthio ar ei phen. Yna clymu ei thraed ynghyd â rhoi math o ffon rhyngddynt i'w dal yn solet. Wedi'r taflu a'r clymu, dyma'r gof, neu ddau, yn ei phedoli yn gyflym.'

Mae E. O. James yn dyfynnu rhigwm arall sy'n disgrifio'r ddefod yn fanwl, hwn eto gan fardd anhysbys, a allai fod unwaith yn rhagor yn E. D. Davies:

> Wedi'r ffair mi welaf dyrfa
> O fystechi mewn cae porfa
> Ger Pont Twrch, ac i'w pedoli
> At y gwaith yr eir o ddifri.
> Deio Hendy Cwrdd 'Sgerdawe
> Ydyw'r cyntaf un i ddechre.
> Cydio wna ynghorn y bustach,
> A rhed ganddo gam ymhellach
> Fe rydd dro i'r corn yn sydyn
> A'r anifail syrth fel plentyn.
> Gyda rhaff daw arall ato,
> I glymu'r pedwar coes rhag cicio.
> Nawr mae off, y gof a'r offer

Yn pedoli ar ei gyfer
A chyn hir y bustach ola
Sydd â'i bedol yn y borfa.

Y prif borthmon fyddai'n sicrhau fod ei gyd-borthmyn
wedi'u gwisgo'n gymwys. Fe ddisgrifiwyd eu gwisg wrth
Richard Colyer mewn sgyrsiau personol gan yr Athro E. G.
Bowen, arbenigwr ar hanes cymdeithasol yng
Ngheredigion:

> Gwisgwyd hwy mewn smociau gweision ffarm, a
> gwisgent sanau gwlân hirion wedi eu prynu mewn
> ffair, a chanddynt legins cryfion o Bapur Brown
> Bryste. Gwisgent hefyd hetiau a chantelau llydain fel
> diogelwch rhag yr elfennau tymhorol. Cariai pob
> porthmon sebon a phapur brown. Câi'r sebon ei
> rwbio i mewn i'r sanau gwlân i atal dŵr tra gwnâi'r
> papur brown y tro fel fest a ddaliai ddŵr pan fyddent
> yn cysgu allan. Dim ond y prif borthmon wnâi gysgu
> dan do.

Câi'r gwartheg eu crynhoi islaw Pen Pica, bryn uchel y tu ôl
i dafarnau'r Talbot a'r Bush drws nesaf, a'u gyrru wedyn ar
draws caeau Tŷ Gwyn tuag at Gwmberwyn. Câi'r lle hwnnw
ei ddefnyddio fel arhosfan dros nos gan Dafydd Isaac,
porthmon amlwg yn ei ddydd. Gyrrid y gwartheg ar
gyflymdra o tua dwy filltir yr awr gan deithio rhwng
pymtheg ac ugain milltir y dydd. Byddai tâl y porthmyn yn
amrywio rhwng swllt a thri swllt y dydd, gyda bonws ar
ddiwedd y daith. I atgyfnerthu eu henillion, gwerthent laeth
ar hyd y ffordd.

O'r ucheldir ger Cwmberwyn y symbylwyd porthmon
arall, Jenkin Williams, Deri Garon i gyfansoddi rhigwm nad
oedd yn garedig iawn i Dregaron:

Mae Tregaron fach yn mwgi,
Nid oes fater tai hi'n llwgu;
Os bydd newydd drwg ar gered,
Yn Nhregaron cewch ei glywed.

Roedd Tregaron yn ganolfan o bwys gan ei bod yn sefyll ar ben deheuol bwlch Abergwesyn. Câi'r ffordd ei hadnabod fel Ffordd y Porthmyn a'r fantais oedd ei bod hi'n ffordd ddi-doll. Roeddent yn osgoi ffyrdd tyrpeg, lle roedd tollbyrth yn bwysig, gan y gallai gostio hyd at swllt y pen am fynd â gwartheg drwy dollborth. Dylid esbonio mai'r gost ar gyfartaledd ar gyfer y daith gyfan fyddai hynny, nid y gost am fynd drwy bob tollborth unigol. Hyd yn oed wedyn roedd swllt y pen yn swm uchel y dyddiau hynny pan allai'r fuches fod yn gannoedd o greaduriaid.

Fe arweiniai'r ffordd o Dregaron i fyny am Abergwesyn, Cwmdulas, Y Bontnewydd ar Wy, Llandrindod, Maesyfed a Cheintyn ac ymlaen dros y ffin. Yna, dilynid y ffordd am Lanllieni. Yn Southam byddai'r ffordd yn gwahanu, gyda'r dewis rhwng mynd am Northampton neu i'r de am Lundain, Barnet y arbennig.

Byddai'r gyrroedd yn amrywio o ran nifer rhwng dau a phedwar can pen o wartheg. Amrywiai nifer y porthmyn hefyd yn ôl nifer y gwartheg. Byddai Rhys Morgan o Dregaron, a gâi ei adnabod fel Brenin Northampton, yn cyflogi dwsin o borthmyn ar gyfer cerdded tri chant o wartheg. Yn un o bump brawd oedd yn borthmyn, ystyrid ef yn ben-porthmon. Roedd e'n dal i borthmona ar ddechrau'r ganrif ddiwethaf ac yn ôl Evan Jones yn *Cerdded Hen Ffeiriau*, ef oedd y cyntaf yn y sir i ddefnyddio sieciau.

Trefnid y teithiau'n fanwl, medd Richard Colyer, gan geisio gofalu osgoi ffyrdd toll ac osgoi gyrroedd eraill a gâi eu cerdded. Byddai canolfannau pedoli neu efeiliau ar hyd y daith ynghyd â thafarndai lle gellid bwydo'r porthmyn a chynnig gwely i'r pen-borthmon. I nodi lleoliad pob tafarn byddai tair pinwydden Albanaidd yn tyfu'r tu allan. Yn Lloegr byddai tair ywen yn fwy cyfarwydd. Symbolau o groeso i borthmyn dreulio'r nos yno oedd y rhain yn hytrach nag arwyddion yn nodi fod yno dafarn. Tra cysgai'r pen-borthmon dan do, cysgai gweddill y porthmyn yn y caeau cyfagos. Yn aml cysgai'r porthmyn iau gyda'r gwartheg er mwyn bod yn ddigon agos i'w tendio yn y nos. Fe allai cysgu mor agos i'r creaduriaid fod yn gymorth hefyd i gadw'r porthmyn hyn yn gynnes

Yn ôl Richard Colyer eto, bu'r gost am lety'n ddigyfnewid, bron, gydol y ganrif, sef tua grôt (neu bedair ceiniog) y pen yn yr haf a chwe cheiniog yn y gaeaf. Byddai pen-borthmyn Tregaron yn lletya fel arfer yn Shepherd's Bush, a hynny am ddim ond tair ceiniog y noson a thair ceiniog arall am frecwast. Mae Shepherd's Bush yng ngorllewin Llundain ac ar y comin yno y câi defaid a chreaduriaid eraill eu corlannu cyn eu cerdded ymlaen i farchnad Smithfield.

O ran y gwartheg, rhai bychain duon, sef 'Welsh Blacks' tua theirblwydd oed fydden nhw gan fwyaf. Caent eu hadnabod fel 'Welsh Runts'. Roeddent o'r un maint â'r Belted Galloways ac yn medru byw ar borfa wael a goroesi allan mewn tywydd oer a gwlyb. Mae E. O. James yn *The Carmarthenshire Historian* 1961 yn enwi Gwartheg Castellmartin a Gwartheg Penwyn Ffiniau Brycheiniog, rhagflaenwyr y Gwartheg Swydd Henffordd yn ogystal fel bridiau porthmona. Ond mae lle i gredu i'r buchesi llaeth Llundeinig gael eu hatgyfnerthu gan Dda Gleision. Yn ôl yr hanesydd Cledwyn Fychan, Llanddeiniol, buchod rhannol wyllt oedd y rhain. Adnabyddid nhw fel 'Yr Hen Frid' oedd yn tarddu o Dda Gleision Cors Glan Teifi, disgynyddion i wartheg gwreiddiol Abaty Ystrad-fflur. Roedd y gwartheg hyn yn dda godro cynhyrchiol iawn a byddai prynwyr o

Lundain yn teithio i sir Aberteifi'n flynyddol i'w prynu.

Derbyniad digon amheus a hyd yn oed parchedig ofn a gâi'r porthmyn gan drigolion y trefi gyda chryn amheuaeth. Yn y *Farmers Magazine* yn 1856 cafwyd adroddiad diddorol os nad rhagfarnllyd braidd o'r porthmyn Cymreig a welwyd yn Ffair Barnet. Sais oedd yr awdur ac mae'r adroddiad yn nodweddiadol o'r rhagfarn tuag at y porthmyn. Defnyddiaf y Saesneg gwreiddiol rhag colli blas y rhagfarn:

Imagine some hundreds of bullocks like an immense forest of horns, propelled hurriedly towards you amid the hideous and uproarious shouting of a set of semi-barbarous drovers who value a restive bullock far beyond the life of a human being, driving their mad and noisy herds over every person they meet if not fortunate enough to get out of their way; closely followed by a drove of unbroken wild Welsh ponies, fresh from their native hills all of them loose and unrestrained as the oxen that preceded them; kicking, rearing and biting each other amid the unintelligible anathemas of their human attendants ... the noisy 'hurrahs' of lots of 'un-English speaking' Welshmen who may have just sold some of their native bovine stock whilst they are to be seen throwing up their long-worn, shapeless hats high in the air, as a type of Taffy's delight, uttering at the same time a trade (*sic*) of gibberish which no-one can understand but themselves.

Dyma'r fath olygfa, mae'n siŵr, a fu'n gyfrifol am sefydlu'r capel Methodist Calfinaidd Cymraeg yn Cock Lane, Smithfield yn 1774, sef yr addoldy Cymraeg cyntaf i'w sefydlu yn Llundain.

Nid ffeiriau Canolbarth Lloegr a Llundain oedd yr unig

leoedd yr oedd y porthmyn yn anelu atynt. Yn ôl Richard Colyer, câi'r gyrroedd eu hebrwng hefyd i'r siroedd Cartref. Dengys cofnodion fod Jenkin Williams o Dderi Garon yn gyrru gwartheg i Blackwater yn swydd Caint tra bod David Jonathan o Ddihewyd yn gwerthu mor bell â Romford, Brentford, East Grinsted, Horsham a Kingston. Roedd Dafydd Jonathan yn ffigwr pwysig gan iddo gadw cyfrif manwl o'i holl drafodion busnes a'i dreuliau ar gyfer ei wahanol deithiau rhwng sir Aberteifi a Llundain. Ceir enghraifft o'i dreuliau yn 1839 yn Atodiad 2.

Byddai ffyrdd y porthmyn, oedd oll yn arwain i Lundain yn y pen draw, yn cydgyfarfod ar y ffin yn ardal Henffordd ac yna'n parhau ar hyd Edgeware Road i Smithfield, lle cynhelid yr arwerthiannau. Oddi yno gyrrid y gwartheg i dir pori mewn ardaloedd fel Islington lle caent eu pesgi ar gyfer eu lladd neu ar gyfer eu defnyddio am gyfnod ar gyfer y farchnad laeth a oedd ar gynnydd. Wedyn, byddai'n rhaid i'r porthmyn wynebu'r daith hir adref gan ddod â hanesion yn ôl o'r Ddinas Fawr ac am y datblygiadau diweddaraf yno.

Byddai porthmona'n waith peryglus, yn arbennig o ystyried y cyfoeth a enillid o'r fasnach wartheg, a'r cyfoeth hwnnw'n cael ei gario adre gan y pen-borthmon. Byddai lladron pen ffordd yn bla. Y canlyniad i hyn fu sefydlu cyfundrefn fancio gan y porthmyn, a daeth rhai ohonynt yn ddynion cyfoethog iawn. Er enghraifft, David Jones, a sefydlodd Fanc yr Eidion Du yn Llanymddyfri, ac yna yn Llanbed a Llandeilo. Prynwyd y busnes yn 1909 gan Fanc Lloyds. Mab fferm oedd David Jones a ddechreuodd ar ei waith fel porthmon ag yntau'n ddim ond pymtheg oed. Priododd i mewn i arian, a bu'r arian hwnnw'n gymorth i sefydlu'r banc. Pan fu farw yn 1839 roedd e'n werth £140,000.

Sefydlwyd canghennau o fanciau o'r fath mewn trefi eraill. Un o'r enwocaf oedd Banc Aberystwyth a Thregaron, neu Fanc y Ddafad Ddu, a ddaeth i ben yn 1815. Ond mae'n addas mai yn Llanymddyfri y sefydlwyd y banc cyntaf – roedd y dref yn union ar Ffordd y Porthmyn o Aberteifi a Chaerfyrddin. Porthmona oedd prif weithgaredd masnachol yr ardal. Dim rhyfedd fod y Ficer Prichard (1579–1644) wedi cyfansoddi'r gerdd o rybudd i borthmyn a   welir   yn Atodiad 3. Mae'r pennill cyntaf yn nodweddiadol o weddill y gerdd.

> Os d'wyt borthmon dela'n onest,
> Tâl yn gywir am a gefaist;
> Cadw d'air, na thor addewid;
> Gwell nag aur mewn côd yw credid.

Byddai temtasiynau di-rif ar hyd y ffordd wrth i'r porthmyn letya mewn tafarndai. Ac yn Llundain, pen y daith, roedd temtasiynau'r ddinas fawr yn destun aml i bregeth yn nifer o gapeli ac eglwysi Cymru.

Efallai mai o ganlyniad i glywed pregethwyr mewn gwasanaethau yn ystod ac ar ben y daith yr aeth ambell borthmon o gerdded y ffordd fawr i fod yn weinidog. Yn *The Welsh Cattle Drovers*, mae Richard Colyer yn cyfeirio at dri ohonynt. Fe ordeiniwyd Benjamin Evans, porthmon o sir Benfro yn weinidog yn Llanuwchllyn. Fe glywodd William Jones, Trawsfynydd bregeth gan yr efengylwr William Romaine (1714–1795) ar un o'i deithiau ac fe aeth yn weinidog. Yr enwocaf oedd Dafydd Jones o Gaeo (1711–1777). Yn ôl Gomer M. Roberts yn ei gofiant i Dafydd Jones, dysgodd hwnnw Saesneg ar ei deithiau rhwng Caeo a Llundain, a hynny'n ddigon da i fedru cyfieithu rhai o emynau Isaac Watts i'r Gymraeg. Ar ei deithiau, clywodd hefyd rai o bregethau awyr-agored John Wesley, a dylanwadodd y rheiny'n fawr arno. Mae emynau Dafydd

Jones yn llawn symbolaeth o borthmona:

> Fe ddeuant oll o'r Dwyrain,
> Gorllewin, Gogledd, De,
> A Seion yn ddiatal,
> Mae digon eto o le.

Yn ei emyn enwocaf, 'Wele cawsom y Meseia' mae'n adlewyrchu ei brofiadau yn prynu a gwerthu gwartheg:

> Swm ein dyled fawr a dalodd
> Ac fe groesodd filiau'r Ne'.

Ac yna:

> Prynu'n bywyd, talu'n dyled
> A'n glanhau â'i waed ei hun.

Mae ei emynau'n llawn delweddau o'i brofiadau, fel 'Fe'm dwg i'r lleoedd da, Lle tyf y borfa Nefol.' Wedyn cawn 'Arglwydd, arwain fi'n dy law, Na'd fi grwydro yma a thraw'. Ac 'Os af o'i ffyrdd yn ffôl, Fy enaid 'n ôl a eilw'. A 'Pererin wyf ar daith, A'm ffordd yn faith a phell'.

Yn ei gyfrol, mae Evan Jones yn cyfeirio at Dafydd Morris, porthmon o Ledrod a drodd i fod yn weinidog yn Nhŵr-gwyn. Ef oedd awdur 'Os gwelir fi, bechadur'.

Daeth llawer o'r porthmyn yn rhugl yn y Saesneg – hynny'n amlwg yn fantais fawr wrth fargeinio dros y ffin. Ceir o leiaf ddau achos o borthmyn yn sefydlu eu hunain fel ysgolfeistri. Yn 1845 agorwyd ysgol ym Mhumsaint gan borthmon – roedd William Harries, ysgolfeistr yn Ysgol Ffaldybrenin o 1871–78, wedi treulio rhai o'i flynyddoedd cynnar fel porthmon.

Roedd bywyd a gwaith y porthmyn yn cyflenwi'r

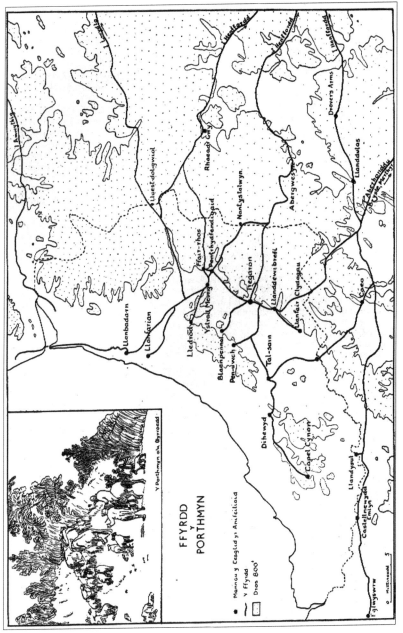

Ffyrdd y porthmyn yn arwain o Geredigion tua'r dwyrain (Ceredigion: Atlas Hanesyddol)

Dau borthmon o'r canolbarth

Drovers' House: hen dafarn y porthmyn yn Stockbridge gyda hysbyseb Gymraeg wedi'i llythrennu ar ei wal: 'Gwair tymherus, porfa flasus, cwrw da a gwâl cysurus'.

farchnad gig eidion a llaeth, ond roedd y ffordd honno o ennill bywoliaeth yn ogystal yn gyfrwng i rai Cymry gwledig gael yr hyder i fudo a throi at fathau eraill o waith a gynigid gan y ddinas. Gellid dweud mai porthmona gadwodd galon y Gymru wledig mewn cysylltiad uniongyrchol â'r metropolis.

Yn cyd-gerdded gyda'r porthmyn ar eu teithiau byddai morynion, rhai o'r un ardal â'r porthmyn. Byddai'r rhain yn tendio'r gerddi ar y daith neu'n helpu yn y marchnadoedd ar hyd y ffordd i Lundain i chwilio am waith domestig. Byddai'r rhain hefyd yn amlwg yn y gwaith o dendio gerddi marchnad, yn cynnwys chwynnu. Caent eu hadnabod o'r herwydd fel 'chwynwyr'. Ysgrifennodd bardd o sir Aberteifi, Daniel Evans (Daniel Ddu o Geredigion):

O na bawn i fel colomen
Ar ben Sant Paul yng nghanol Llunden
I gael gweled merched Cymru
Ar eu gliniau'n chwynnu gerddi.

Cawn hanes Merched y Gerddi gan John Williams-Davies mewn rhifyn o *Folk Life* yn 1977. Yn ystod y ddeunawfed ganrif a dechrau'r bedwaredd ganrif ar bymtheg, canolfan y merched hyn oedd Tregaron a'r pentrefi cyfagos. Ystyrid merched Cymru fel gweithwyr caled ac onest, yn fwy felly na merched tlawd Llundain, yn ôl Williams-Davies.

Tra byddai rhai merched yn aros yn Llundain, byddai amryw yn mynd adre ar ddiwedd y tymor ac yna'n dychwelyd i Lundain flwyddyn ar ôl blwyddyn. Dywedir i un o Landdewibrefi wneud hynny'n ddi-dor am un mlynedd ar hugain. Merched y tyddynnod oedd y mwyafrif a byddai'r enillion a ddeuent adre gyda hwynt yn gymorth mawr i gynnal y tyddyn bach. Dywed Williams-Davies y byddai hyd yn oed gwragedd priod ymhlith y criw. Dilynent ffyrdd y porthmyn, yn aml ochr yn ochr â'r porthmyn.

Cychwynnai'r tymor yn Llundain ar ddechrau mis Ebrill a byddai'n rhaid i'r merched o Gymru gystadlu am waith â merched eraill o swydd Amwythig ac Iwerddon. O fis Ebrill tan dymor yr hydref byddai galw am waith a'r prif waith fyddai hofio, chwynnu a theneuo.

Fe wnaeth Merched y Gerddi gyfrannu at lenyddiaeth Gymreig gyfoes. Disgrifiodd Mari Rhian Owen, mewn perfformiad drama o'r un enw gan Gwmni'r Arad Goch, daith dwy ohonynt oedd â gobeithion am briodi gwŷr cyfoethog. Ceir yn y ddrama syniad am amodau'r cyfnod o ran gwaith a chyflog. Enillent dri swllt am erw o hofio, a thri swllt a chwe cheiniog am erw o chwynnu â llaw.

Cydgerddai gwëwyr hefyd gyda'r porthmyn. Roedd sanau gwlân o Gymru yn nwyddau poblogaidd. Gweithiai'r menywod hyn ar stondinau, a ddatblygodd yn ddiweddarach i fod yn siopau brethyn a theilwragydag enwau Cymreig a ddaeth yn adnabyddus yn Llundain. Yn eu plith roedd Peter Jones, a sefydlwyd yn 1864 ac sydd bellach yn rhan o gwmni John Lewis. Daeth D. H. Evans i Lundain gan agor siop fel gwerthwr dillad. Mae'r busnes bellach yn rhan o grŵp 'The House of Fraser'.

Fe allai'r holl deithio, a'r porthmona'n arbennig, achosi penbleth pan ddeuai'r Sabath. Mor ddiweddar â 1896 poenai porthmon o sir Fôn, John Evans am gychwyn ar ei siwrnai i Lundain ar ddydd Sul. Mewn llythyr i'w wraig ysgrifennodd:

> Fedrwn i ddim dweud wrth fy mhlant fy mod i'n mynd i Lundain ar y Sabath, fe wnâi dristau eu calonnau. Ni wnâi unrhyw ddaioni dweud wrth dy fam. Ni wnâi hynny ddim byd ond gwneud iddi boeni pa mor anffodus y buost mewn cael dy ieuo wrth y fath ŵr annuwiol.

Hyd yn oed flwyddyn yn ddiweddarach, yn y *Gloucester*

Journal ar 4 Awst 1897 cawn hanes dau borthmon a gafwyd yn euog o:

> '... halogi'r Sabath drwy yrru gwartheg drwy bentref Mordiford yn swydd Henffordd.' Gobeithid y gwnâi'r fath '... ymyrraeth gyfreithiol dueddu i atal y fath ymarferiad a fu'n ddiweddar yn rhy gyffredin gan brofi i fod yn boenus iawn i geidwaid y Sabath.'

Yr oedd yna felly ddeddfau yn gwahardd porthmona ar y Sul. Ond roedd yr arferion eisoes wedi dechrau newid yn sylweddol a'r prif reswm dros hynny oedd dyfodiad y rheilffordd yng nghanol y bedwaredd ganrif ar bymtheg. Cyrhaeddodd y lein Aberystwyth yn 1855 a'r Amwythig erbyn 1864 gan greu gwythïen rhwng sir Aberteifi a chalon Llundain. Fe symleiddiodd hyn y gwaith o drosglwyddo stoc da byw a lleihau'r gost yn gyffredinol. Y lein rhwng Aberystwyth a Gorsaf Paddington wnaeth hwyluso hefyd y mudo mawr o ffermydd sir Aberteifi i'r Llwybr Llaethog.

Cafodd David Jones o Landdewibrefi, a ddechreuodd weithio fel gwas bach yn wyth oed, brofiad o gerdded gwartheg yn ogystal â'u gyrru ar drên i Lundain. Ym mhapur bro *Y Barcud*, rhifyn 7 (1976) adroddwyd peth o'i hanes gan ei ferch, Jane Davies o Lwynygroes.

Fe aeth y tro cyntaf yn 1862 gan gerdded gwartheg ei gyflogwr, David Griffiths, Y Ffrwd, Llanbed. Deliwr oedd hwnnw yn prynu gwartheg hysb ym marchnadoedd Llanbed, Lledrod, Penuwch, Pencarreg, Abergwili, Caerfyrddin a marchnadoedd yn sir Benfro. Gyrrai'r buchesi i 'Wlad y Gwair', ei enw ef am Middlesex. Yn Llundain fe wnâi letya yn Shepherd's Bush gan dalu tair ceiniog y noson, a'r un faint wedyn am frecwast o fara, caws a the. Câi 'ddigon o gwrw', meddai am rôt (pedair ceiniog) y chwart.

Fe wnâi'r siwrnai bedair gwaith y flwyddyn. Cofiai

gerdded o Dregaron, ymlaen drwy Abergwesyn gan gyfeirio at Henffordd ac yna ymlaen am Wlad y Gwair. Byddai gofaint y porthmyn yn cario 'cues', sef y pedolau metel, hoelion a rhaffau gyda nhw ar gyfer pedoli ar y ffordd. Un tro torrodd achos o Glwy'r Traed a'r Genau ym Middlesex ac fe'u caethiwyd yno am chwe wythnos.

Pan ddaeth yn ddyddiau'r trên yn yr 1870au byddai'n talu tua deunaw swllt am docyn dwy ffordd. Ond câi deithio gyda'r gwartheg am ddim. Treuliodd David Jones flynyddoedd olaf ei waith fel porthmon yn cerdded defaid yn hytrach na gwartheg a bu farw yn 96 oed yn 1950.

Er i'r rheilffordd ddod â diwedd ar waith y porthmyn, erys eu ffyrdd hyd heddiw. Mae enwau perthnasol yn dal i ddwyn ar gof eu hen lwybrau. Roedd gan y porthmyn lefydd galw rheolaidd a cheir tafarnau â'u henwau yn Drovers' Arms neu Drovers' Inn ledled Cymru. Ceir rhai yn ardaloedd Rhuthun, Llandrindod, Merthyr Tydfil, Caerfyrddin, Aberhonddu a Ffarmers. Bu un ar Fynydd Epynt. Ceir Drovers' Road yn Llanbed a cheir Drovers' Arms yn Ffarmers ac mae enghraifft arall debyg yn Nyffryn Aeron ac mewn nifer o fannau eraill. Credir i'r enwau ddeillio o'r ffaith y câi gwartheg eu cadw yno dros nos ar y ffordd i Lundain. Enwodd Dafydd Jones o Gaeo, y porthmon hwnnw a drodd yn weinidog y soniwyd amdano eisoes, ei gartref yn Llundain Fach a'r nant yn ei ymyl yn Tafwys. Mae enghraifft debyg ger Tal-sarn yn Nyffryn Aeron.

Ceir hefyd amryw o enghreifftiau eraill fel Pantyporthmon, ac enwau Llundeinig fel Temple Bar, Rhiw Sais, Pontarsais (Pont i'r Sais), Glanrhyd Sais, Chancery, Hyde Park ac aml i Smithfield.

Uwchlaw Ystrad-fflur mae murddun hen fwthyn a elwid yn Pant-carnau – roedd yn un o'r canolfannau lle câi'r gwartheg eu pedoli ar eu ffordd dros y mynydd. Enwau eraill sydd wedi goroesi yw Cwmpedol, Y Bedolfa, Cae Pedoli ac Allt-y-gof. Ac yn ymyl Llanbadarn Fawr ceir cae a elwir gan rai o hyd yn Gae Pedoli.

Hyd yn oed heddiw caiff hen ffordd y porthmyn yn ardal Southam, ar ôl croesi'r ffin i Loegr, ei hadnabod fel *'the Welsh Road'*. Fe'i hadnabuwyd felly cyn belled yn ôl â 1687 ar hen fapiau, ac ar Fapiau'r Degwm yn arbennig yng nghanol y bedwaredd ganrif ar bymtheg. Ceir Welshman's Hill ger Castle Bromwich a Welsh Meadow dair milltir o Halesowen. Rhwng Offchurch a Priors Hardwick ceir Welsh Road Farm, Welsh Road Bridge, Welsh Road Meadow a cheir Welsh Road Gorse.

Caiff cyfraniad y porthmyn ei gofio a'i nodi hyd heddiw ym mhob math o ffyrdd. Un o'r olion parhaol mwyaf diddorol yw'r arwydd sydd ar wal tŷ preifat a fu gynt yn dafarn y Drovers' Inn, Stockbridge, Hampshire sy'n dyddio'n ôl i'r ail ganrif ar bymtheg. Mae'r adeilad, Drovers' House erbyn hyn, yn un rhestredig. Meddai'r arwydd:

Gwair-tymherus-porfa-flasus-cwrw-da-a-gwâl-cysurus.

Rhaid bod rhan y porthmyn yn hyn oll yn bwysig dros ben. Yn ei astudiaeth *The Welsh in London 1500–2000*, mae'r Athro Emrys Jones yn dweud bod y gyrwyr, erbyn dyfodiad y rheilffordd wedi addasu eu hunain i'r newidiadau mawr drwy droi i fod yn gynhyrchwyr llaeth.

Y Ceidwaid Gwartheg

Wrth i'r rheilffyrdd rhwng Llundain a Chymru yn ystod ail hanner y bedwaredd ganrif ar bymtheg ymledu i Gaergybi yn y gogledd, Doc Penfro yn y gorllewin a'r Amwythig ac Aberystwyth yn y canolbarth – heb sôn am Abertawe a Chaerdydd yn y de – parhaodd y farchnad wartheg draddodiadol o Gymru i Loegr. Cynyddodd y galw am laeth wrth i boblogaeth Llundain gynyddu, a daeth y farchnad honno hefyd yn un fwy deallus a dewisol.

Oes fer llaeth ar y silff oedd y broblem. Doedd oeri drwy offer trydanol ddim yn bod, a surai llaeth yn gyflym iawn. Yr unig ddull o ymestyn oes llaeth fyddai ei gadw mewn mannau oer fel seleri claear. Golygai hyn fod angen cadw gwartheg o fewn cyrraedd hawdd i'r defnyddwyr er mwyn cael cyflenwad rheolaidd.

Câi gwartheg llaeth a gyrhaeddai Lundain, naill ai drwy eu cerdded neu eu cludo ar drên, eu cadw mewn buchesi yn y ddinas. Roedd gan rai ceidwaid gwartheg hawliau pori ar hen diroedd comin cyfagos ond câi'r mwyafrif o'r gwartheg eu clymu ar unwaith mewn mannau'n amrywio o seleri i lofftydd. Ar gyfer eu cadw mewn llofftydd neu groglofftydd câi'r gwartheg eu codi â rhaffau. Ac yno y'u cedwid nes iddyn nhw gwblhau eu cyfnod llaetha neu nes i'w cynnyrch ddisgyn yn rhy isel i fod o werth. Caent wedyn eu lladd a phrynid gwartheg newydd i gymryd eu lle yn y cylch nesaf o odro. Erbyn 1861 deuai 72 y cant o laeth Llundain o feudai'r ddinas a chredir ac yn ei gyfrol *London's Milk Supply 1850–1900* credai David Taylor fod cymaint â 24,000 o wartheg yn y brifddinas ar y pryd.

Aiff Taylor ymlaen i nodi fod un llaethwr, rhyw Mr Rhodes o Islington, yn cadw ar gyfartaledd 400 o wartheg godro. Ond mwy cyffredin, meddai, oedd cadw rhwng 50 ac 80 o wartheg ar ffermydd o fewn cyrraedd i'r ddinas a thueddai'r ffermydd bach arferol i gadw dim mwy na deg i ddwsin o wartheg godro.

Mae'n amhosibl gwybod faint yn union o geidwaid llaeth Llundain oedd yn Gymry yn ystod yr ail ganrif ar bymtheg a'r ddeunawfed ganrif. Ond dengys gwahanol gofrestrau plwyf a chyfeirlyfrau masnachol y cyfnod hwnnw fod yna bump o geidwaid gwartheg yn dwyn y cyfenwau Davies. Ceid enghreifftiau hefyd o Lewis, Thomas, Hughes, James, Jones a Lloyd. Rhwng 1840 a 1892, yn ardal Whitechapel yn unig rhestrir nifer o Gymry a'u perthnasau a chynorthwywyr a fu'n gysylltiedig â chadw gwartheg a gwerthu llaeth yn Black Lion Yard yn Commercial Road. Yn eu plith ceir Hugh Evans o Fethania a'i wraig Jane o Benuwch; Elizabeth, merch; Magdalen James, Llangwyryfon; John Evans, Llanfihangel y Creuddyn a Mary Jane, gwraig; Morgan Griffiths, nai; William Evans, Llangeitho; Margaret Morris, Pennant a George Gregory, Llanddeiniol. Credir i deulu Evans fod â chysylltiad â'r busnes tan gyfnod y Rhyfel Mawr. Y perchennog nesaf oedd Cymro arall, William Jones o ardal Aberystwyth. Cadwai rhwng ugain a deugain o wartheg. Wedyn daeth y busnes i ddwylo teulu â'r cyfenw Evans unwaith eto sef Joshua Evans. Bu hwnnw'n rhedeg y busnes tan 1949.

Dull arall o asesu niferoedd y Cymry yn Llundain (ond nid o reidrwydd y Cardis) oedd yn ymwneud â chadw gwartheg yw drwy gyfri'r nifer a'r canran o'r cyfenwau perthnasol wrth i'r bedwaredd ganrif ar bymtheg fynd rhagddi. Dyma ystadegau a ddyfynnwyd gan Peter Atkins, Athro Daearyddiaeth ym Mhrifysgol Durham.

Dyddiad	Ceidwaid Gwartheg	Cyfenw Cymreig	Canran
1881	998	240	24
1890	285	116	41
1900	168	82	49
1910	102	47	46

Gellir priodoli'r lleihad sydyn dros gyfnod o ddeng mlynedd ar hugain i'r newid mewn arferion gwerthu llaeth, o'r cadw gwartheg a godro ar y safle i dderbyn y llaeth wedi ei gludo i mewn ar drên.

Cymry oedd asgwrn cefn y diwydiant, a Chymry oedd yr unig bobl i fedru llwyddo. Cyhoeddwyd Adroddiad Charles Booth yn 1903. Mae'r hyn oedd ganddo i'w ddweud am y busnes llaeth yn cyfuno dwy ffaith ddiddorol:

> Cymry oedd yr unig bobl i fedru llwyddo. Hwy yn unig ymhlith trigolion y Deyrnas Gyfunol all wneud i gadw gwartheg yn Llundain dalu; neu'n hytrach hwy yn unig sy'n fodlon derbyn yr amodau y bydd y ceidwad gwartheg yn byw danynt ac yn cael ei orfodi i weithio ar gyfer gwneud bywoliaeth. Maent yn y mwyafrif o safon addysg isel; siaradant Saesneg yn amherffaith ... Maent yn gynnil ac yn hunan-ymwadol, yn byw mewn amgylchiadau garw, yn gweithio'n eithafol o galed am oriau anarferol o hir ac am gyflog fach iawn.

Yn ystod cyfnod cynnar y bedwaredd ganrif ar bymtheg, yr arferiad oedd godro'n gyhoeddus, a hynny'n syth i lestri. Câi'r gwartheg eu cadw mewn beudai cyffredin ond caent eu tywys i fannau cyhoeddus i'w godro. Ymestyniad naturiol oedd hwn o fynd â'r llaeth at y bobl. Er enghraifft, roedd yna yn St James' Park fannau i glymu gwartheg, gyda'r llaeth yn cael ei odro'n uniongyrchol i'r llestri yn y fan a'r lle. Yn ystod yr 1860au roedd wyth o wartheg yn parhau yn y parc yn yr haf a phedair yn y gaeaf ar gyfer y godro uniongyrchol hwn. Yn hwyrach yn y ganrif cai'r holl laeth na werthid dros y cownter ei ddosbarthu gan forynion llaeth yn cario pymtheg galwyn o laeth ar ieuau ar eu hysgwyddau mewn bwcedi agored. Clywid nhw'n gweiddi: 'Milko! Milko!' Byddai'r

*Hen lun o wartheg godro yn cael eu cadw gan Gymry
yn un o laethdai Llundain yn y 19eg ganrif*

*Hen lun o laethferch yn cario dau fwced yn hongian wrth iau – golygfa
gyffredin ar strydoedd Llundain ar un adeg*

Y llaeth yn cyrraedd ar y trên yng Ngorsaf Paddington

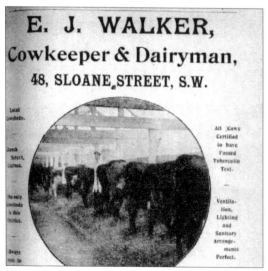

Hysbyseb E. J. Walker yn brolio glanweithdra a hylendid

cwsmeriaid yn dod â'u jygiau gyda nhw a'r morynion yn codi'r llaeth â lletwad a'i arllwys i'r jygiau. Roedd y dull hwn yn agored i bob math o aflendid, wrth gwrs.

Cafwyd disgrifiad manwl gan awdur cyfoes dienw yn 1818 o'r merched a gariai'r bwcedi llaeth:

> Cariwyd y llaeth mewn bwcedi tun a'u cludo'n bennaf gan ferched Cymreig cryf a chadarn ... Dyma'r rhai hefyd sy'n gwerthu'r llaeth ar strydoedd y ddinas ac mae'n anhygoel gweld y llafur a'r blinder a ddioddefa'r merched hyn a'r hwyl a'r sirioldeb sy'n gyffredin yn eu plith ac sy'n tueddu, mewn dull rhyfeddol, i ysgafnhau eu cyflogaeth lafurus ... Mae'r pwysau y maen nhw'n gyfarwydd â'i gario ar eu hieuau, er enghraifft, dros bellter o dair milltir yn pwyso rhwng 100 a 130 pwys. Erbyn canol dydd byddant wedi dychwelyd at y ceidwaid gwartheg am fwy o laeth cyn dychwelyd i'r stryd tan chwech o'r gloch. Am hyn fe'u talwyd naw swllt yr wythnos ynghyd â'u brecwast.
>
> Byddai gan y forwyn laeth ei rownd reolaidd o gwsmeriaid, neu 'wâc laeth' ... Roedd rhai yn deithwyr a fyddai'n gweiddi am eu llaeth wrth chwilio am gwsmeriaid. Swniai eu galwadau o 'milk below' fel 'mio'.

Câi'r gwartheg eu bwydo â grawn o'r bragdai cyfagos. Caent hefyd wair, gwellt a llysiau dros ben o'r marchnadoedd. Ni ellir ond dyfalu beth ddigwyddai i'w dom! Cawn o leiaf un esboniad. Mae Ieuan Parry o Flaenplwyf yn cofio'i dad-cu'n dweud wrtho y câi'r dom ei gludo mewn cychod agored oedd yn cael eu llusgo gan geffylau, i fyny afon Tafwys, a'i ddefnyddio mewn gerddi yn swydd Surrey, lle gweithiai rhai o'r merched, sef y 'chwynwyr' y cyfeiriwyd atynt yn gynharach.

Oherwydd y gystadleuaeth rhwng y gwahanol werthwyr

llaeth roedd hysbysebu'n bwysig iawn. Ceid hysbysebion blodeuog yn brolio ansawdd cynnyrch ei gilydd. Mae un nodweddiadol gan E. J. Walker o 40 Sloane Street yn *Kelly's Directory* yn 1910. Mae'n honni y gallai, o'i feudai yn Church Street, Chelsea, gyflenwi llaeth i garreg y drws o fewn teirawr i odro. Dywedir yn ychwanegol fod y llaeth yn rhydd o'r TB, a'i fod felly'n arbennig o addas ar gyfer babanod a chleifion. Broliant arall oedd bod yr awyru, y goleuo a'r trefniadau glanweithiol yn berffaith. Hynny yw, dim arogl dom da!

Yn 1865 trawyd y buchesi gan yr haint *rindepest*, neu Bla'r Gwartheg. Mewn gwirionedd, roedd y salwch yn gyfuniad o *rindepest* a *pleuropneumonia* a straen o Glwy'r Traed a'r Genau. Nid effaith hylendid gwael oedd hwn ond feirws. Er gwaetha'r colledion arweiniodd at lanhau'r diwydiant – gosodwyd safonau hylendid sylfaenol ynghyd ag archwiliadau tystysgrifol a ddefnyddid i hybu busnes dynion llaeth. Trwyddedwyd canolfannau cadw gwartheg a rheoleiddiwyd nifer y gwartheg y gellid eu cadw. Nodwyd y cymwysterau ar ddogfennau swyddogol fel biliau, gan ddatgan fod y cwmni o dan arolygaeth uniongyrchol Cyngor Sir Llundain, fel y gwelir ym Memorandwm Jones o'i siop yn Spitalfields.

Profodd *rindepest* i fod yn drobwynt yn natblygiad llaethyddiaeth, ac o ganlyniad i gyflenwi llaeth yn Llundain. Golygai'r colledion trwm o ganlyniad i bla'r gwartheg y byddai yna brinder llaeth difrifol oni bai am y cyflenwad a gyrhaeddai ar drenau o ffermydd yn y siroedd cyfagos i orsafoedd Llundain.

Amcangyfrifir i tua saith miliwn galwyn o laeth gael ei gludo i Lundain ar drenau yn ystod 1886 ar gyfer llenwi'r bwlch a adawyd gan golledion y llaethdai dinesig yr effeithiwyd arnynt gan y pla gwartheg. Tyfodd y bwlch rhwng y cyflenwad o laeth oedd ei angen ar y boblogaeth gynyddol a'r llaeth y gellid ei gyflenwi gan wartheg mewn

Busnes J. T. G. Price – Short Horn Dairy – yn 1897

beudai dinesig neu gan wartheg yn pori ar borfeydd yn y maestrefi. Arweiniodd hyn at gynnydd yn y cyflenwad o laeth a gâi ei gludo ar y rheilffyrdd a chyflenwyr y prif gyfanwerthwyr llaeth.

Diddorol nodi ymddangosiad un ohonynt, Express Dairies yn arbennig. Deilliodd yn uniongyrchol o'r haint *rindepest* wrth i ŵr o'r enw George Barham ddechrau busnes cyflenwi llaeth. Y ffaith mai ar drên y deuai'r llaeth i Lundain fu'n gyfrifol am iddo enwi'r fenter yn Express Dairies. Dilynwyd hyn gan United Dairies, yr Independent Milk Supplies a'r Co-op. Yn 1959 ymunodd United Dairies a Cow and Gate i ffurfio Unigate.

Er gwaetha'r holl newidiadau, parhaodd y cyflenwad llaeth o feudai lleol. Ond arweiniodd y gwahanol ffynonellau at amrywiad mewn prisiau a chyflenwadau. O ganlyniad i Ddeddfau Marchnata Amaethyddol y 1930au, sefydlwyd y Bwrdd Marchnata Llaeth yn 1933. Ei fwriad oedd rheoleiddio'r farchnad laeth drwy fod y Bwrdd yn prynu'r holl laeth a gynhyrchid a'i werthu ar gyfer ei yfed neu ar gyfer gwahanol gynnyrch llaeth. Yna dosberthid yr incwm i'r gwahanol gynhyrchwyr ar sail y cyfanswm o laeth a werthwyd ganddynt i'r Bwrdd.

Lleihaodd nifer y busnesau cadw gwartheg wrth i'r bedwaredd ganrif a bymtheg fynd rhagddi ond cafwyd cynnydd yn sgil mewnlifiad Iddewon i'r East End rhwng 1881 a 1914. Roedd gan yr Iddewon ddeddfau dietegol Kosher. Yn rhan o'r deddfau mynnid fod yr holl laeth a ddefnyddid gan Iddewon yn cael ei odro ym mhresenoldeb cynrychiolydd o'r gymuned Iddewig, sef *Rabbi* neu *Shomer*. Rhaid oedd hefyd godro'r llaeth i mewn i lestr personol y cwsmer er mwyn sicrhau purdeb. Byddai'r Iddewon uniongred yn ciwio am eu cyflenwadau o laeth, a gariai bremiwm o ddwy geiniog y peint.

Gwelwyd to newydd o geidwaid gwartheg yn sgil hynny ac roedd cyfran helaeth ohonyn nhw'n dod o orllewin Cymru – pobl a yrrwyd oddi ar y tir gan y wasgfa ariannol. Daethant i Lundain a'u sgiliau hwsmonaeth gyda hwy, fel y gwnaeth mewnfudwyr cynharach. Un o'r rhai amlycaf oedd William Jones, Black Lion Yard, Stepney. Medrai siarad Hebraeg gyda'i gwsmeriaid, ond yn Gymraeg y siaradai â'i feibion. Parchodd a chadwodd y ddefod Iddewig yn fanwl gan ennill parch y gymuned. Roedd ganddo fuches o ddeugain o wartheg a gaent eu godro am chwe mis cyn eu lladd a'u cyfnewid. Fe fu ei olynydd yn y busnes, Jos Evans yn godro'r fuches ym mhresenoldeb *Rabbi* drwy flynyddoedd canol y 1940au.

Ond wrth i'r gymuned Iddewig ffynnu a symud allan o'r East End, lleihaodd y galw am laeth Kosher. Erbyn 1936 doedd yno ond 36 o geidwaid gwartheg a 151 o wartheg; erbyn 1940, roedd yno un ar bymtheg ac erbyn 1950, dim ond dau. Fe wnaeth un o'r ddau, John Jordan, a oedd yn cynrychioli'r bedwaredd genhedlaeth o geidwaid gwartheg yn Peckham (er nad yn swyddogol yn yr East End) barhau tan 1967 gyda rhwng deg ar hugain a deugain o wartheg.

Petai'r galw'n uwch na'r cynnyrch, rhaid fyddai prynu oddi wrth gyfanwerthwr. Yn sgil y bomio adeg yr Ail Ryfel Byd, ac effaith y rheoliadau diciâu a ffactorau economaidd, gadawodd y fuwch ola'r East End yn 1954. Y gofalwr olaf yn yr ardal honno oedd David Carsons, a oedd yn cadw gwartheg ger Tower Bridge.

Gwelwyd cynnydd arall yn yr angen am laeth Iddewig oedd wedi'i fendithio yn 1938–1939 wrth i Iddewon ffoi rhag y Natsïaid yn Ewrop. Roedd rhieni Evan Jones, sydd bellach yn byw yn Llanddewibrefi, o Gellan a Llanbed cyn iddynt symud i Lundain yn 1931 ac yna i Staines yn 1938, ac mae'n cofio iddynt gyflenwi poblogaeth o Iddewon Uniongred. Fe ddychwelodd rhai ohonynt i'w gwledydd eu hunain wedi'r rhyfel. Ond bu'n rhaid i Iddewon Hwngaraidd ganfod lloches rhag y Rwsiaid yn 1956 a llwyddodd rhieni Evan i gyflenwi'r galw unwaith eto am laeth wedi'i fendithio.

Ddiwedd y bedwaredd ganrif ar bymtheg câi llawer o'r llaeth a gynhyrchid gan wartheg yn Llundain ei hysbysebu fel cynnyrch o ansawdd uchel fel ymgais i amddiffyn y ceidwaid llaeth dinesig rhag y cynnyrch a gyrhaeddai Lundain ar drenau. Sbardunodd y gwanychu yn y farchnad laeth drefol, llaeth beudy a'r ddibyniaeth gynyddol ar 'laeth rheilffordd' at ddadl bapur newydd fywiog ar eu rhagoriaethau perthnasol. Mynnai'r *Aberdare Leader* ar 22 Ionawr 1870 fod ansawdd yr hufen mewn llaeth trefol yn rhagori. Mynnai'r *County Observer and Monmouth Central Adviser* ar 4 Mawrth 1876 fod y posibiliadau o amhureddau peryglus yn llawer uwch mewn ffermydd gwledig nag yn hen feudai Llundain, a bod mwy o demtasiwn i'w lastwreiddio. Gellir cymharu'r ddadl hon ar ddiogelwch â'r ddadl heddiw dros ac yn erbyn cynhyrchu bwydydd wedi'u cynhyrchu'n enetig.

Beth bynnag fu'r ddadl dros neu yn erbyn 'llaeth

rheilffordd', fe arweiniodd gweithredu cyfundrefn iechyd cyhoeddus cynyddol a llymach yn yr ugeinfed ganrif at ddarparu llaeth iachach a glanach.

Ceir olion o oes y ceidwaid gwartheg o hyd. Byddai adeiladau lle cedwid gwartheg yn arddangos cerflun o ben buwch yn aml ar eu waliau allanol. Mae pump o'r cerfluniau hyn wedi goroesi, yn cynnwys un ar gornel King's Road a Smith Street. Ceir un arall yn Old Church Street. Mae erthygl a gyhoeddwyd gan Gyngor Camden yn cofféu cartref dyn o'r Thomas Edwards a gadwai wartheg yno yn rhif 61 Marchmont Street, Bloomsbury. Heddiw mae'r adeilad yn gaffi sy'n darparu gwasanaeth rhyngrwydol. Bu gwartheg mewn beudai dinesig hyd yn oed yn destun paentiadau. Fe wnaeth Robert Hill (1769–1844) baentio darlun dyfrlliw yn 1822, 'A Cowhouse in Marylebone Park'. Mae'r llun mewn casgliad preifat.

Mae'n werth ychwanegu ôl-nodyn yma. Ar wal tŷ bwyta ffasiynol yn ninas Toronto, Canada, ceir atgof o'r cyfnod pan fu'r lle, mae'n rhaid gen i, yn siop werthu llaeth ar gyfer diwallu anghenion trigolion y ddinas, yn yr un modd ac yn yr un cyfnod ag y gwnâi siopau llaeth Llundain. Atgoffir cwsmeriaid o'r arferiad o godi gwartheg i fyny i'r atig, lle byddent wedyn yn cael eu cadw yn ystod y cyfnod y byddent mewn llaeth. Ar wal y bwyty y tu allan, o dan yr arwydd, mae yna ddelwau llawn maint o ddwy fuwch, un yn ddelw o'r hanner ôl a'r llall o'r hanner blaen. Fe gerddodd rhain ymhell iawn!

Ffafr a Ffawd

Yn y *Welsh Gazette* ym mis Chwefror 1928 gwelwyd adroddiad priodas pâr ifanc o waelod sir Aberteifi oedd wedi cynllunio i fynd i Lundain i ymuno â'r fasnach laeth. Y ddwy frawddeg olaf oedd:

> Mae y pâr ifanc wedi cychwyn masnach eu hunain yn y drafnidiaeth llaeth yn Llundain. Dymunwn iddynt y ffafr a'r ffawd sy'n canlyn pawb ar y llwybr llaethog.

Awdur y dymuniadau oedd Isfoel, un o Fois y Cilie, ffermwr a bardd. A'r hyn sy'n ddiddorol yn y neges yw nad rhyw sentiment yn dymuno'n dda iddynt ydoedd, ond yn hytrach ragdybiaeth y gwnaent yn dda. Hynny yw, o fynd i'r busnes llaeth doedd yna ddim cwestiwn o fethu.

Ymhen ychydig fisoedd fe ysgrifennodd tad y priodfab at ei fab yn dweud:

> Yr oedd yn dda gennyf glywed fod y lle newydd wedi troi maes yn ddymunol a bod Leisa Jane wedi gwerthu mwy na'r rhai o'i blaen. Fod tithau Daniel wedi cadw y cwsmeriaid i gyd. Gobeithio y parhaith hi yn y blaen a bod yr arian yn dod mewn yn neis.

Dylwn esbonio yma mai'r pâr priod oedd fy narpar rieni. O ddarllen rhwng y llinellau, gellir canfod nodweddion bywyd a llwyddiant yn yr hen wlad – gwaith caled a'r angen am arian. Gellir dychmygu fod y busnes cyntaf, yn gyffredin i unrhyw un wnaeth fentro, yn fusnes bach. Ni fyddai unrhyw addewid cyfochrog ar gyfer perswadio'r banc i fenthyca heb warant gan gyfaill neu berthynas. Byddai'r benthyciad angenrheidiol yn hytrach wedi ei wneud gan berthynas, yn amlach na pheidio, perthynas o Gardi oedd wedi bod yn llwyddiannus ei hun mewn busnes. Byddai hynny'n nodweddiadol o'i gydwladwyr. Ffynhonnell arall o godi'r cyfalaf cyfochrog angenrheidiol oedd drwy ennill cefnogaeth ariannol cyfaill, neu drwy werthu eiddo teuluol yng Nghymru.

Ceir enghraifft o'r cyntaf o'r rhain gan Iwan Jones o Lanbed. Yn 1931 benthycodd ei dad £1,100 oddi wrth y banc heb unrhyw warant gyfatebol, ond cymerwyd at danysgrifennu'r warant gan ffrind. Bu'n rhaid i rieni Dilys Scott o'r Felinfach werthu eu busnes, Melin Cwmcarfan ar gyfer prynu busnes yn Southall.

Yn achos fy rhieni, benthyca wnaethon nhw oddi wrth frawd i 'Nhad. Roedd y brawd hwnnw'n ddibriod a chryn dipyn yn hŷn na 'Nhad. Benthycwyd yr arian ar yr amod y câi'r brawd log penodol ar ei fenthyciad. Ond os na fyddai'r fenter yn llwyddo, yna dim ond swm y benthyciad fyddai angen ei dalu'n ôl.

Yr unig ffynhonnell arall, os methid gyda'r ddau ddewisiad cyntaf, fyddai ceisio cymorth gan un o'r cwmnïau cyfanwerthol mawr. Anfantais hyn, wrth gwrs, oedd y byddai'r benthyciwr wedyn ynghlwm wrth y cwmni a'i gyflenwad o laeth. Yna, fel y gwaethygodd pethau, gwelwyd y cyfanwerthwyr yn rhoi'r gorau i fenthyca arian i'r llaethwyr unigol ar gyfer prynu ewyllys da'r busnes. Dyna, yn ôl Emrys Davies o Frynaman, (ond yn wreiddiol o Gellan), oedd dechrau'r diwedd i'r fasnach laeth Gymreig yn Llundain.

Fel y gwelir, byddai ewyllys da a diddordebau'r busnes yn allweddol. Byddai maint yr ewyllys da yn dibynnu ar yr incwm y medrid ei greu o'r busnes fel y safai ar adeg y cytundeb. Y nod fyddai ymestyn yr incwm, a thrwy hynny werth (sef ewyllys da) y busnes. Fel y gwelir yn yr atodiadau perthnasol, daethpwyd i gytundeb ar hynny wedi ei seilio ar faint gwerthiant y llaeth naill ai yn ôl swm yr hyn a brynid oddi wrth y cyfanwerthwyr neu yn ôl cynnyrch y gwartheg a gedwid ar y safle. Ystyrid hefyd incwm y siop. Yn gynwysedig yn y cytundeb hefyd byddai'r addewid i 'brynu ar sail gwerthuso teg ar adeg cwblhau'r pryniant o'r holl nwyddau a'r stoc prynadwy oedd yn bodoli'. Byddai hyn yn cynnwys y gwartheg, os oedd hynny'n berthnasol.

Yr arferiad yn y cyfnod pan oedd busnes yn dda oedd i'r pwrcasiad gael ei weinyddu gan asiant – bron yn sicr yn Gymro – fyddai'n arbenigo ar y math hwn o waith. Isod mae esgyrn sychion dau Gytundeb fyddai'n nodweddiadol ar gyfer prynu'r ewyllys da, mesur o werth y busnes.

Norah Morgan o Gaerwedros a ddenwyd i Lundain i fod yn forwyn i'n teulu ni.

Fe wnaeth Llewelyn ac Anne Evans yn 1936 brynu ewyllys da busnes yn Fulham (gweler Atodiad 4). Nodwyd fod y busnes yn manwerthu 25 galwyn o laeth y dydd am saith ceiniog y chwart, ynghyd â masnach nwyddau siop o £25 yr wythnos (£1,500 heddiw). Roedd y pris pwrcasu yn y Cytundeb yn £750 (£44,800 heddiw). Roedd gofyn i'r gwerthwr gytuno 'ddim ar unrhyw adeg wedi'r pwrcasiad i ddeisyf na gweini na cheisio gweini unrhyw laeth neu gynnyrch llaeth ar ei ran ei hun o fewn cylch o ddwy filltir o'r safle am gyfnod o ddeng mlynedd o ddyddiad cwblhau'r pwrcasiad' (gweler Atodiad 4). Roedd y 'Dyledion Llyfr' – sef yr arian ar y 'slât' (heb eu nodi) – i'w prynu ar ddisgownt o 15 y cant. Ond os na phrynid nhw byddai'r gwerthwr yn cytuno i beidio â phwyso ar y cwsmeriaid i dalu'r fath ddyledion am gyfnod o ddeufis wedi'r pwrcasiad. Hynny, siŵr o fod, er mwyn parhau'r ewyllys da o'r busnes. Roedd y pris pwrcasu hefyd yn cynnwys caffaeliad 'y gosodion masnach, y celfi a'r teclynnau sydd yn berchen i'r busnes'.

Gwnaed Cytundeb tebyg yn 1919 pan werthwyd busnes i Daniel Lloyd yn Rotherhithe gan Rees Edwards (gweler Atodiad 5). Y pris oedd £825 (£36,000 heddiw). Nodai'r gwerthwr werthiant o 70 galwyn o laeth yn ddyddiol i gwsmeriaid *bona fide* am swllt y chwart, saith deg galwyn am swllt y chwart llai deg galwyn y dydd am un geiniog ar ddeg y chwart ar gyfartaledd wythnosol o saith diwrnod. Yma, roedd y fasnach cownter yn £80 yr wythnos (£3,830 heddiw) yn cynnwys y llaeth a werthid yn y siop ond heb gynnwys y llaeth a werthid y tu allan. (Seiliwyd y cymariaethau ariannol ar *Money.co.uk* Gall yr amcangyfrifon hyn amrywio.)

Yma eto roedd angen i'r gwerthwr ymgymryd â pheidio â 'sefydlu, ymarfer neu ymwneud â sefydlu, ymarfer neu barhau'r fasnach neu'r busnes o Werthwr Llaeth neu Werthwr Nwyddau ... o fewn cylch o ddwy filltir ... neu achosi i weini unrhyw gwsmer yn ymwneud â'r Busnes dywededig am gyfnod o ddeg mlynedd'. Yn y ddau achos roedd ymrwymiad o gymorth i'r prynwr i'w hyfforddi yn y busnes am saith diwrnod cyn y pwrcasiad a saith diwrnod wedi hynny.

Yn dilyn telerau'r Cytundeb cafwyd rhestr o'r eiddo oedd i barhau ar y safle:

Llaethdy	Siop
Dau Bram	Llenni Haul Allanol
Dwy Tshyrn Bres	Bloc Menyn Marmor
Dau o Ganiau Llaw a thop marmor	Gofod Ffenest
Chwe Mesur	Drychau Wal ac Adlewyrchol
Un Bwced 16 mesur chwart	Un Pâr o Dafolau
Un Plymiwr	Set o Bwysau Pres hyd 2lb
Un Mesur Galwyn	Llestr Cownter Pridd
Un Drwm Mesur	Clawr Metel Gwyn
Oerydd Lawrence, Drwm	Set o Brennau Menyn
Yr Holl Ganiau Cyflenwi	Dau Glôb Wyau

Trading and Profit Loss Account for the period 23rd March 1931 – 2nd April 1932

Dr.   Cr.

To stock as at 23rd March 1931	£130-0-0	By Takings	£4007-15-8
To Purchases	£3,265-12-10	By Stock as at 2nd April 1932	£190-8-10
To Gross Profit c/d	£802-11-8		
	£4,198-4-6		£4,198-4-6

To Rent	£60-0-0	By Gross Profit	£802-11-8
To Rates	£29-17-0		
To Lighting and Heating	£20-13-0		
To Telephone	£12-3-9		
To Wages	£120-18-0		
To Dairy Requisites	£18-10-8		
To Repairs	£24-2-2		
To Insurances	£11-17-3		
To Sundries	£19-3-3		
To Net Profit	£485-6-7		
	£802-11-8		£802-11-8

I certify that I have prepared the foregoing from the Books of Mr. D. E. and miss E.E. Daniel and that the same is correct and in correct and in accordance therein to the best of my knowledge and belief.

Signed by certified accountant

(Plymiwr, gyda llaw, oedd math ar letwad ar gyfer troi'r llaeth cyn ei botelu fel bod y llaeth a'r hufen yn gymysg drwyddo draw.)

Nodwyd fod pwrcasiad y ddau fusnes dan sylw 'wedi eu prisio'n deg ... holl nwyddau a stoc y fasnach'.

Prisiwyd ewyllys da busnes drwy ei seilio ar ddata Cyfrif Masnachu ac Elw a Cholled a lunid gan gyfrifydd flwyddyn cyn y gwerthiant. Mae un ar gael o hyd yn ymwneud â busnes Mr D. R. a Miss E. E. Daniel. Dyma'r manylion fel y'u cofnodwyd:

> Byddai'r elw net heddiw yn £28,600. Byddai'r elw gros heddiw yn £47,000.

Wedi taro bargen byddai Datganiad o Gytundeb yn dilyn. Bodlonwn yma ar ddwy enghraifft: Fe werthodd teulu Bowen Williams eu busnes ar ôl dychwelyd i Gymru yn 1921, busnes a restrwyd fel 'Cowkeepers and Retail Busnes'. A cheir Datganiad o Gytundeb am fusnes a werthwyd gan Roscoe Lloyd yn 1933, sef llaethdy heb warhteg, mwy na thebyg. Yn y ddau achos roedd yr asiantwyr yn Gymry. (Gwelir y Cytundebau yn Atodiadau 6 a 7.)

Yn amlwg, roedd angen pen da ar gyfer ffigurau. Yn ei erthygl 'The Land of Milk and Honey' a ymddangosodd yn y *Western Mail* yn 1988 dywed Gwyn Griffiths mai'r tri llyfr a gâi eu darllen bennaf gan Gardi Llundain oedd y Beibl, y llyfr emynau enwadol a'r *Ready Reckoner*. Hefyd roedd angen y gallu i 'adio lan' wrth nodi'r gwahanol werthiannau ar ddiwedd dydd. Hynny cyn bod sôn am gyfrifiannell na chodau bar.

Pan ddeuai cadw gwartheg a godro ar y safle i ben, câi'r llaeth ei gyflenwi o ffermydd gwledig. Câi'r llaeth o wartheg a gâi eu godro ddwywaith y dydd ei glaearu a'i hidlo ar y

*Daniel Edward a Margaret Jones tu allan i'w siop
gydag un o'u morwynion*

*Roscoe Lloyd ac un o'i weithwyr gyda phâr o gobiau yn Acton
nôl yn y tri degau*

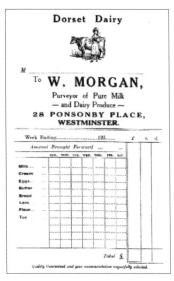

Bil o laethdy W. Morgan.
Sylwch ar y pwyslais ar laeth pur.

Bil Llaethdy T. D. Davies – yn
ogystal â glendid, mae'n pwysleisio
prydlondeb a sylw personol.

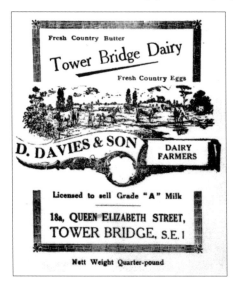

Papur menyn D. Davies a'i Fab yn hysbysebu llaeth Gradd 'A'

fferm ac yna'i arllwys fel swmp i ganiau, a'i gludo i fin y ffordd fawr. Yno gosodid y caniau ar standiau oedd ar yr un gwastad â'r lorïau llaeth fyddai'n eu casglu a'u cludo i ffatrïoedd llaeth (fel Pont Llanio yn sir Aberteifi).

O'r ffatrioedd llaeth hyn câi'r llaeth ei gludo ar y trenau llaeth, rheiny'n rhan o'r Great Western Railway gan fwyaf, yn gwasanaethu cefn gwlad amaethyddol gorllewin Cymru.

Oddi yno cludid y llaeth i hufenfeydd canolog lle câi'r llaeth ei basteureiddio, ei ail-arllwys i ganiau 17 galwyn a'i ddosbarthu gan y cyfanwerthwr. Roedd rhain yn gonigol eu siâp ar gyfer eu hatal rhag dymchwel. Roedd iddynt gapiau siâp madarch ynghyd â gwaelodion cryf i'w gwneud nhw'n haws i'w gwyro neu eu rholio. Yn y gwahanol laethdai, byddai'n rhaid potelu'r llaeth â llaw neu gyda chymorth peiriant syml ac yna eu capio'n boteli chwart, peint neu hanner peint, a'r rheiny'n cario logo cwmni'r llaethdy. Wedi'r Ail Ryfel Byd cyrhaeddai llaeth o'r hufenfeydd wedi ei botelu yn barod.

Swmp y llaeth a werthid oedd y llaeth hwn oedd wedi'i basteureiddio. Golyga pasteureiddio boethi llaeth i 75.5 gradd C am gyfnod o rhwng pymtheg ac ugain eiliad. Effaith y broses yw lladd bacteria peryglus, a hynny heb effeithio'n sylfaenol ar safon maethol nac ar flas y llaeth.

Byddai'r hufenfeydd yn darparu hefyd laeth o Ynysoedd y Sianel, a fyddai'n cynnwys mwy o hufen naturiol, wedi ei botelu. Darperid hefyd laeth Gradd 'A' a llaeth wedi ei sterileiddio, neu 'ster' ar lafar. Câi hwn ei ragboethi i 50 gradd C, ei homogeneiddio, ei botelu a'i selio, ac yna ei boethi eto i wres uchel am rhwng deg ac ugain munud. Canlyniad hyn fyddai newid mewn blas a lliw, ond byddai'n boblogaidd am fod iddo fywyd hwy ar y silff tra oedd yn dal yn y botel.

Roedd yn rhaid i'r llaeth gyrraedd carreg y drws cyn saith o'r gloch y bore, mewn pryd i frecwast. Ceid bob amser ail rownd yn hwyrach, a gâi ei hadnabod gan rai fel 'y cyflenwad pwdin', ac mewn rhai achosion drydydd cyflenwad. Câi'r llaeth ei gyflenwi ar 'bramiau' neu gerti a wthid neu a dynnid â nerth bôn braich. Yn ddiweddarach caent eu pweru â batris. Byddai'r certi, yn ogystal â chario llaeth yn cario hefyd ddewis llawn o nwyddau sychion o'r siop. Ar ôl dychwelyd, câi stoc y cert ei gyfrif nôl mewn, y derbyniadau eu nodi a'r poteli gwag eu golchi a'u sterileiddio â dŵr poeth a soda a'u gosod ben i waered i ddraenio.

Ceid y broblem barhaol mewn busnesau bach o drefnu rota o gyflenwyr ar gyfer y rowndiau er mwyn medru galluogi'r hawl am ddiwrnod bant er gwaetha'r cyflenwi dyddiol. Gall Bowen Williams, gyda hanner canrif o brofiad o 1932 ymlaen, ddisgrifio cynllun cymhleth a ddyfeisiodd ef ei hun ar gyfer perswadio cwsmeriaid i dderbyn cyflenwad deuddydd weithiau ar ddyddiau penodedig. Yn ogystal, byddai'n rhaid i berchennog busnes fod ar gael ar gyfer llenwi lle gweithwyr absennol, o ganlyniad i salwch neu resymau eraill. Mewn un busnes cafwyd dyn llaeth o Gymro a fyddai'n barod i weithio ar Sadyrnau fel y gallai ei gydweithiwr Iddewig barchu'r Sabath. Fe wnâi'r Iddew, yn ei dro, lenwi ar y Sul fel y gallai'r Cymro fynychu ei gapel Cymraeg.

Byddai'r siop yn agored saith diwrnod yr wythnos, o'r bore cyntaf tan yr hwyr. Ond byddai cau cynnar ar y Sul ac ar naill ai ddydd Mercher neu ddydd Iau. Ond peth cyffredin fyddai i'r siopwr, druan, orfod ateb cnoc ar y drws gan gwsmer anghofus wedi amser cau. Rhaid oedd cynnal ewyllys da!

Fyddai gwaith y dydd ddim yn dod i ben gyda chloi drws y siop. Rhaid fyddai didoli'r stoc ac ail-lenwi'r silffoedd. Yn wahanol i heddiw, ni chyrhaeddai caws mewn pecynnau twt ac amrywiol. Doedd ond dau fath, cryf a thyner, a'r caws hwnnw'n cyrraedd mewn rholiau mawr wedi'u lapio mewn

Hen laethdy S. Jones yn 23 Ezra Street, Bishopsgate, E2.
Cadwai wartheg yn y cefn

Cert llaw i ddanfon llaeth i gwsmeriaid yn
Fleet Street. Roedd amrywiol jygiau mesur
ar y cert – peint, peint a hanner a
chwarter peint, yn ogystal â dau gelwrn o
laeth cynnes.

Un o boteli Jones, Ezra Street

Y diwydiant llaethdai bychain yn ei anterth: dyma gert llaw R. P. Williams,
Palmers Green NE3

Llaethdy W. Evans yn 130 St John Street, Clerkenwell

Y dirywiad – hen laethdy D. Morgan a'i Fab, 173 Manor Place, Kennington SE17

Corgi yn King Road, Chelsea o hyd!

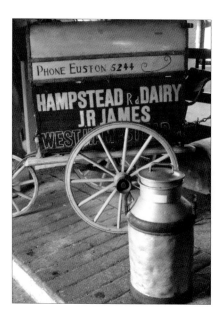

Defnyddiai rhai o'r porthmyn 'garrons' – cerbydau bychain fel hyn – wrth deithio gyda'r gyrroedd o wartheg i swydd Caint. Yn aml, câi'r rhain eu gwerthu yn Llundain ar ddiwedd y daith ac roeddent yn ddefnyddiol iawn i'r Cymry a gadwai'r llaethdai.

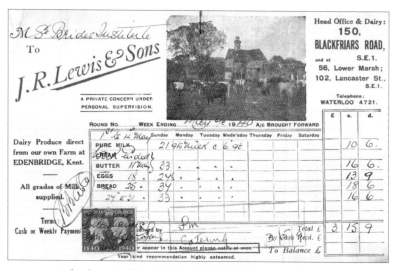

Anfoneb gan laethdy J. R. Lewis, 150 Blackfriars Road SE1

*Pot hufen L. Davies; jwg hufen J. Richards a jygiau mesur llaeth cyn oes y
poteli a'r cartons*

Beic neges cwmni Gwalia

*Un o boteli J. Evans,
Grays Inn Road*

Hitchmans Dairies owned by
Mr Alban Davies

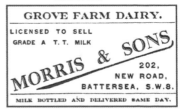

Rhai o boteli a hysbysebion y llaethdai Cymreig

*Teulu'r Pugh a gadwai'r
Oxford Express Dairy in
Frith Street, Soho cyn
penderfynu rhoi'r gorau
iddi*

Hen laethdy Lloyd's ar gornel River Street ac Amwell Street – barbwr sydd yn ennill bywoliaeth yno bellach.

Mae'r gwaith teils o flaen y rhiniog i'w weld yno o hyd – ond dyma sut oedd yn yr hen ddyddiau.

DARWIN FARM DAIRY

E. DAVIES & SONS
(DAIRIES) LTD.

Purveyors of
High - Class Dairy Produce
ALL GRADES OF MILK SUPPLIED
Best Dairy Butter. New-Laid Eggs a speciality

Agents for
WALL'S ICE CREAM and BIRDS EYE FROSTED FOODS

Under strict medical and sanitary supervision

52 DARWIN STREET · OLD KENT ROAD
Phone : RODney 3513

Telephone : WATerloo 4721

LEWIS'S DAIRIES
(Proprietor : W. L. LEWIS)

All Milk Pasteurised and Bottled on the premises

9-11 POCOCK STREET
BLACKFRIARS ROAD, S.E.1

ESTABLISHED
FIFTY YEARS.

NON-
COMBINE.

Just . . . . . .
PURE MILK
. . . That's all

T. CHARLES
1 Hamilton St., Deptford, S.E. 8

OWEN & SON

Dairymen

Pure Clean Milk — Supplied Twice Daily.
Daily Arrivals of English New Laid Eggs.

249, CAMBERWELL NEW RD.

E. MORRIS & SONS
Ossory Dairy

Families supplied with Pure Milk & Cream
direct from the Farm twice daily
NOTED FOR NURSERY MILK
AND NEW LAID EGGS

462, Old Kent Rd., S.E. 1

D. WILLIAMS

Cardigan Farm Dairy

PURE CLEAN MILK DIRECT
FROM FARMS IN WILTS
AND SOMERSET.

Milk can be obtained any hour
at night from our Automatic
Milk Supply.

51, WYNDHAM ROAD,
CAMBERWELL, S.E.

Mwy o hysbysebion y llaethdai Cymreig

Rhai o gapeli'r Cymry yn Llundain. Codwyd capel gwreiddiol yr Annibynwyr yn Borough yn 1806 a dyddiad yr adeilad hwn yw 1872.

Dau gapel Bedyddwyr – Capel Clapham Jinction a 'chapel Lloyd George', prif gapel y Cymry yn Castle Street a godwyd yn 1889.

Safle hen laethdy Cymreig yn Old Church Street, Chelsea

Olion o'r hen feudy, llaethdy a stafelloedd y gweision a'r morynion yn y cefn. Mae'r pen buwch yn nodweddiadol o rai o'r hen laethdai o hyd.

Jones Brothers

W.A.Evans & Son

R.Evans & Son

Rees Price Dairies

I.Jones

E.P.Davies

Morgans Hygienic
Dairy

Edwards Dairy Farms
Ltd

Topiau poteli cwmnïau rhai o'r Cymry

Hen siop laeth Thomas Edwards, 61 Marchmont Street, Bloomsbury

Llaethdy arall i'w weld ar gornel Smith Road ar King Road, Chelsea

Hen laethdy John Evans yn 35 Warren Street a'r hwylfa at y beudy i'w weld i lawr y stryd o hyd.

Teulu o Dwrciaid clên sy'n cadw'r llaethdy bellach. Mae'n adeilad cofrestredig ac yn cadw llawer o'i hen nodweddion.

Megan Hayes, awdur y gyfrol, yn dal un o boteli llaeth ei theulu wrth ymyl ei chartref sydd bellach ger harbwr Aberaeron.

gwe cotwm a byddai'n rhaid ei dorri i feintiau cyfleus. Deuai wyau cyn y rhyfel mewn blychau hirsgwar o wahanol wledydd – rhai lleol o Loegr, a rhai o Ddenmarc, yr Iseldiroedd a chanol Ewrop – gan eu hysbysebu fel wyau 'ffres'. Wedi'r rhyfel deuent o gylchoedd mwy lleol – roedd Swydd Caergrawnt yn cyflenwi dau laethdy.

Cyrhaeddai menyn a lard fesul hanner can pwys a rhaid fyddai eu pacio i unedau hanner neu chwarter pwys mewn papur gwrthsaim yn arddangos logo'r siop. Ar ddiwedd yr wythnos câi'r bil ei baratoi ar gyfer pob cwsmer ac ar rai o'r biliau ceid anogaeth na welir ei thebyg heddiw. Honnai biliau Mayfield Farm Dairies:

> *Scrupulous cleanliness. Rigorous punctuality. Families waited on three times daily. Under medical supervision.*

Ar filiau'r Dorset Dairy wedyn, a froliai eu bod yn werthwyr llaeth pur ceid:

> *Quality Guaranteed and your recommendation respecfully solicited.*

Gweithiai teulu Betty Davies, sydd bellach yn byw yn Aberporth, yn yr East End. Roedd ganddynt wyth buwch mewn beudy yn y clos wrth gefn eu cartref yn ogystal â ieir. Golygai hyn y gallent gynnwys yn y cylchgrawn hysbysebu lleol y broliant:

D. J. Williams, Dairyman

Purest milk money can buy

Best Pure Butter

New laid Eggs from our own farm

Byddai canol a chalon y busnes a'r holl waith gweinyddu mewn stafell yn union y tu ôl i'r siop, sef y 'shop parlour'. Yma y paratowyd y biliau wythnosol gan nodi manylion, eitem wrth eitem, y cynnyrch a werthwyd i bob cwsmer ar hyd yr wythnos. Gelwid busnes nad oedd yn cynnwys wâc laeth yn 'indoor dairy'.

Byddai ymddangosiad y siop yn holl bwysig. Câi ffenest y siop ei gosod yn ddestlus a deniadol, a hynny'n wythnosol. Nodwedd o hyn oedd gosod tuniau ar ffurf pyramid. Byddai addurniadau'r ffenestri'n cynnwys ffigurau 'Blackamoor', sef delwau bychain o bobl dduon yn penlinio ac yn dal basgedi'n llawn wyau. Roedd gan fy rhieni ddelw debyg a gwelid un yn siop teulu Gwen Manley yn City Road. Heddiw, wrth gwrs, dydi'r fath ddelwau ddim yn wleidyddol gywir. Gwisgai'r gweinyddwyr y tu ôl i'r cownter ofyrôls gwyn wedi eu startsio. O ran dynion y wâc laeth, gwisgent ffedogau hir at y pigyrnau gyda streips o liw ysgafn ar draws.

Câi pwyslais mawr ei roi ar ddewis neu hoffter personol cwsmeriaid, hynny o bosibl am eu bod nhw ar delerau cyfeillgar. Rhaid fyddai gwrando ar anghenion personol: er enghraifft, os byddai cwsmer yn awyddus i gael ei lard neu fenyn mewn papur gwrth-saim fel y gellid ail-ddefnyddio'r papur i wneud pwdin wedi'i stemio. Byddai rhai llaethdai'n cynnig cildwrn o hufen i bob cwsmer bob Nadolig. Ac os byddai'r cwsmeriaid i ffwrdd dros yr ŵyl, byddent yn ddigon powld i ofyn i'r hufen gael ei gyflenwi ar ôl iddynt ddod adre!

Weithiau byddai arferion cefn gwlad yn ddefnyddiol ar gyfer y gwaith yn y ddinas fawr. Aeth Roscoe Lloyd a'i briod o dde sir Aberteifi i Lundain ar ôl priodi yn 1928 gan gychwyn busnes yn Acton Lane, cyn symud i Chiswick. Byddai'n cyflenwi llaeth o gert yn cael ei thynnu gan ddau gobyn Cymreig a gallai Roscoe – tad y ddau frawd Ifan ac Ifor Lloyd – hyfforddi cobyn i gerdded y rownd o fewn

Taith a drefnwyd ar yr afon gan y London Wholesale Dairies i'w cwsmeriaid yn y 30au cynnar.

pythefnos. Byddai'r cobiau'n oedi y tu allan i bob tŷ er mwyn gadael y poteli cyn cerdded ymlaen ac oedi'r tu allan i'r tai nesaf yn eu tro, heb unrhyw orchymyn.

Byddai'r cyswllt Cymreig yn hollbwysig. Nid yn unig byddai asiantwyr Cymreig yn ganolog yn y trafodaethau ar gyfer trosglwyddo busnes, ond byddai'r prynwyr hefyd yn mynd ati ar unwaith i gyhoeddi parhad perch-nogaeth Gymreig ar arwyddion y tu allan. Gosodent eu henwau ar unwaith uwchben drws a ffenestri'r siop. Fe wnaeth tad Elgan Davies yn Tottenham werthu ei fusnes i deulu Morgan, ac yn eu tro fe wnaeth y rheiny werthu i deulu Evans, ac roedd yr enwau'n cael eu harddangos gyda balchder bob tro. Byddai ffenestri'r siopau'n arddangos eu cynnyrch – 'Grade 'A' Milk' a 'Neville's Standard Bread' ac yn y blaen.

Tra câi enwau personol y Cymry eu harddangos gyda balchder, roedd enwau'r busnesau'n fwy tebygol o fod yn Saesneg. Enw busnes fy rhieni yn Clapham, er enghraifft, oedd Roseneath ac yn Richmond, Vicarage Farm Dairy. Ond byddai rhai perchnogion yn ymfalchïo mewn enwi eu busnesau yn Gymraeg. Enw llaethdy D. R. ac E. Daniels yn

Pimlico oedd Glasfryn Dairy. Enw llaethdy Roscoe Lloyd yn Kensington oedd Aeron Dairy tra oedd teulu Joyce Snelson yn cadw'r Garth Dairy yn Bramley Road. Tybed a oedd yr enwau hyn yn gysylltiedig â sefydlwyr Cymreig gwreiddiol y busnesau?

Fe wnaeth y mwyafrif fentro i'r fasnach laeth wedi cyfnod o wasanaeth mewn busnes a oedd eisoes wedi ei sefydlu. Er hynny, fe fentrodd Evan a Carol Evans, sydd heddiw'n byw yn Nhal-y-bont, heb unrhyw brofiad blaenorol, a hynny'n union ar ôl eu priodas yn 1964. Fe gymerodd gryn ddewrder, ond fe wnaethant lwyddo i elwa o gymal yn eu cytundeb lle roedd gofyn i'r gwerthwr gefnogi'r pryniant am gyfnod penodedig. Diolch i waith caled, fe wnaethon nhw lwyddo ar ôl deng mlynedd i werthu'r busnes i bâr o sir Gaerfyrddin.

Cofiai Peggy Beaven siop ei rhieni, John a Margaret Jacob yn Willesden, yn glir. Byddai ei mam yn golchi'r poteli llaeth mewn twba ac aed â'r llaeth o gwmpas ar feic neu mewn 'pram'. Byddai amryw'n prynu llaeth yn y siop, sef 'gill' o laeth – yn cyfateb i un rhan o dair o beint. Cedwid y llaeth a'r menyn yn oer drwy eu gadael ar y cownter marmor. Penderfynodd ei thad un tro osod y menyn o dan ffenest yn y to uwchben drws y siop er mwyn ei gadw'n oer. Yn anffodus torrodd lleidr i mewn drwy'r ffenest a disgyn â'i draed yn y menyn! Cedwid yr wyau mewn bocs pren ar wely o wellt ac un o'r nwyddau mwyaf poblogaidd oedd bisgedi wedi torri.

Mae Lewis Lloyd, mab Moss Lloyd ac un o blant Esgairgarn, Llanddewibrefi, a aeth i Lundain yn y dau ddegau, yn cofio'i rieni'n defnyddio bocs pren mawr a'i addasu fel oergell. Câi blociau o rew, a gyflenwid i'r siop unwaith y mis, eu gosod ar ben y bocs fel modd i gadw'n oer y gwahanol nwyddau oedd y tu mewn.

Yn aml iawn câi morynion a gweision eu dewis o ardal

perchennog y busnes nôl yng Nghymru. Merched oedd y rhain, gan fwyaf, oedd yn dymuno treulio blwyddyn bant cyn cychwyn ar yrfa. Ond ceid hefyd fenywod hŷn oedd yn dymuno treulio blwyddyn yn 'y ddinas fawr' cyn setlo lawr. Gwnaed hyn drwy hysbysebu yn y papur lleol, fel y *Welsh Gazette,* neu drwy air yng nghlust neu argymhelliad personol perthynas neu gyfaill yn yr henfro. Byddent hefyd yn byw fel aelodau o'r teulu gan gymryd at yr holl waith a'r dyletswyddau oedd yn gysylltiedig â'r busnes. Enghreifftiau yn ein teulu ni oedd Norah Morgan o Gaerwedros, a fu'n gweithio wedyn fel Ymwelydd Iechyd yn ei phentref genedigol a Bet Davies o Gwmsychpant, a aeth ati wedyn i ffermio Blaenhirbant Uchaf. Dywedodd Mary Jones, sydd nawr yn byw yn Rhydaman, na wnâi perchnogion un busnes, Bonner's Dairy, Piccadilly gyflogi neb ond morynion o'u pentref nhw, sef Cwmllynfell. O ganlyniad fe aeth nifer o aelodau o'i theulu i weithio yno, ei mam a'i modryb yn ogystal â ffrindiau o'r ardal, un ar ôl y llall. Byddai'r rhain eto yn 'byw mewn' ond o dan reolaeth lem, yn cynnwys rheidrwydd i fynychu'r capel yn rheolaidd. Roedd hyn yn gyfystyr â'r cyflogwyr yn gweithredu 'in loco parentis' gan fabwysiadu gofal a dyletswyddau rhieni'r morynion.

Fe wnâi dynion llaeth ffurfio rhwydwaith llac. Pe clywid fod cwsmer yn symud i fyw i ardal y tu allan i ddalgylch dwy filltir y cytundeb gwerthiant, byddai galwad ffôn yn arwain at adael potel o laeth ar drothwy eu drws er mwyn denu eu cwstwm.

Roedd balchder yn rhan o gyfansoddiad y llaethwyr. Ac yn rhan o'r balchder hwnnw yn eu gwaith roedd y penderfyniad y gwnâi'r llaeth gyrraedd carreg y drws, doed a ddelo.

Yn ystod Streic Gyffredinol 1926 fe atalwyd cyflenwi llaeth i'r llaethdai unigol. Yn hytrach deuai cyflenwad swmp i Hyde Park. Yno byddai masnachwyr llaeth unigol yn casglu eu cyflenwad o'r ganolfan honno ar gyfer ei gyflenwi ymlaen i gwsmeriaid y wâc laeth. Hyd yn oed adeg gaeaf caled 1947 llwyddwyd i gyflenwi, yn aml drwy ddefnyddio car llusg yn lle cert. Un a gofiai hyn yn dda oedd Elizabeth Evans.

Mae trugareddau'r busnesau llaeth heddiw o werth i gasglwyr arbenigol. Gellir prynu hen boteli llaeth a chapiau cardfwrdd ar y we, y cyfan yn dangos enwau a logos y gwahanol werthwyr. Maen nhw'n boblogaidd iawn ymhlith casglwyr.

Roedd mwyafrif y masnachwyr llaeth yn perthyn naill ai i Gymdeithas Dynion Llaeth y Ddinas (*Metropolitan Dairymen's Association*) neu'r Cyfuniad o Feistri Llaeth (*Amalgamated Master Dairymen*). Fe wnâi'r rhain atal lledaeniad y busnesau cyfun gan hybu cydweithrediad y busnesau bychain drwy drefnu gwahanol ddigwyddiadau cymdeithasol. Yn yr ugeiniau cynnar trefnid tripiau ar afon Tafwys gan y London Wholesale Dairies.

Wrth edrych ar y darlun cyffredinol, yr hyn a welir yw un o boblogaeth oedd yn dymuno dianc rhag y tlodi yn eu hardaloedd gwledig yn sir Aberteifi a mannau eraill. Pobl oedd y rhain a oedd yn barod i weithio'n galed, i gynnig cymorth i'w cyd-alltudion ac eto'n parhau i fod yn gwbl ffyddlon i'r hen wlad.

Y Clymau Teuluol

Tueddai'r ymfudo i Lundain fod yn fater teuluol. Yr arferiad oedd i aelodau o'r un teulu ddilyn ei gilydd gan greu llinach deuluol neu ddilyniant o bobl llaeth. Roedd teuluoedd y cyfnod yn tueddu i fod yn niferus ond roedd cyfleoedd o ran addysg yn brin.

Fe wnaeth ambell deulu yn sir Aberteifi ar ddiwedd y bedwaredd ganrif ar bymtheg ac yn gynnar yn yr ugeinfed ganrif ymdrechu'n galed i sicrhau addysg i'w plant drwy'r ysgolion cynradd ac uwchradd lleol niferus ac, os oedd modd, drwy golegau hyfforddi neu ddiwinyddol. Mae cofiant Alan Leech i Dan Jenkins, Pentrefelin, Tal-sarn yn adlewyrchu sefyllfa addysg yn sir Aberteifi'n dda. Ond gan amlaf, er hynny, roedd addysg yn rhagorfraint i'r mab hynaf; o ganlyniad tueddai addysg ar gyfer gweddill y plant o deuluoedd mawr i fod yn gyfyngedig. Y dewis i fechgyn oedd mynd ymlaen i etifeddu tenantiaeth, mynd tua'r gorllewin i'r môr (galwedigaeth draddodiadol ar hyd yr arfordir), mudo i weithfeydd glofaol 'y Sowth' neu fynd tua'r dwyrain i ddilyn masnach a gychwynnwyd gan y porthmyn a'i barhau gan y ceidwaid gwartheg. Yr unig gyfle i ferch oedd mynd i wasanaethu nes iddi ganfod gŵr.

O ganlyniad roedd atyniadau Llundain yn ddeniadol iawn, hynny er gwaetha'r ffaith mai prin iawn oedd Saesneg yr alltudion hyn, gan mai'r Gymraeg oedd yr iaith frodorol yng nghefn gwlad sir Aberteifi. Roedd cyfartaledd sylweddol yn uniaith Gymraeg. Cawn weld yn nes ymlaen sut yr aeth Ann Jones o Fronnant i Lundain gyda'i rhieni, a hithau'n ddim ond deuddeg oed a heb ddim Saesneg ar wahân i ymadroddion syml ar gyfer cyfarch a diolch. Nid hi oedd yr unig un, o bell ffordd. Ceid hefyd y broblem, waeth pa mor rhugl bynnag fyddai'r Saesneg ffurfiol, o ymgyfarwyddo â'r dafodiaith leol. Sut medrai mewnfudwyr Cymraeg eu hiaith ddeall fod 'three ha'pence' yn golygu'r hyn a ddefnyddiai ef neu hi am yr ymadrodd 'penny halfpenny'?

Er mwyn ceisio esmwytho'r anawsterau ieithyddol a thafodieithol, o bosibl, arferai teuluoedd fynd yn grwpiau, neu o leiaf anfon un o'u blaenau i baratoi'r ffordd. Ceir hanesion am grwpiau o frodyr a chwiorydd yn mentro.

Roedd tad-cu Mrs Olwen Jones o Lanbed yn un o ddeuddeg o blant – ac roedd un ar ddeg ohonynt wedi troi am Lundain; mae'r un peth yn wir am bump o deulu o ddeg o fferm Pant-y-blawd, Llanddewibrefi. Pedwar wedyn o deulu Cryncoed, Derwen Gam. Fe wnaeth pum aelod o deulu Crynfryn-bychan, Llwynpiod adael cartref ar ddechrau'r ugeinfed ganrif i weithio yn y diwydiant llaeth gan lwyddo wedyn i ddod yn berchnogion llaethdai mewn gwahanol fannau yn y ddinas. Yn hynny o beth fe wnaethon nhw efelychu'r hyn a geir yng nghyfrol Gwyneth Francis Jones, *Cows, Cardis and Cockneys*. Hyd yn oed wedyn, i'r rheiny a fentrodd naill ai'n unigol neu fel parau priod, roedd yna gefnogaeth barod gan y mewnfudwyr hynny oedd eisoes wedi llwyddo yn y ddinas. Anodd meddwl bod cymaint ag un o hen deuluoedd sir Aberteifi na fedrai enwi perthynas neu berthnasau a fudodd tua'r dwyrain.

Mae hanes tri theulu'n unig yn darlunio'n glir y cysylltiadau mewn-deuluol a rhyng-deuluol, ynghyd â'r modd y dychwelodd cymaint ohonynt yn y pen draw at ffermio, neu, mewn cyfnod diweddarach, at swyddi proffesiynol. Yn gyntaf edrychwn ar deulu Anne Thomas, sy'n byw bellach yn Watford. Mae ei stori yn darlunio'n glir y rhwydwaith o gysylltiadau teuluol o fewn y fasnach laeth yn Llundain. Ei thad-cu a'i mam-gu ar ochr ei mam, oedd Joshua ac Anne Davies o'r Cryncoed, Derwen Gam a ganwyd iddynt bedwar plentyn, David, Jack, Bess a Hettie, pob un wedi llwyddo i sefydlu busnesau llaeth llwyddiannus yn Llundain.

Fe briododd David â Gwladys Evans o Ddihewyd ac fe wnaethon nhw brynu busnes llaeth yn Edmonton, Enfield, dwyrain Llundain gan ddychwelyd yn ddiweddarach i ffermio yn Nhregaron.

Priododd Jack â Sally Hopkins a phrynu busnes yn Kentish Town i'r gogledd-orllewin yn ardal Camden. Dychwelodd un o'u meibion, Glanville i sir Aberteifi i ffermio. Ond fe wnaeth mab arall, Emlyn a'i wraig Margaret Jones o Dregaron aros yn Llundain, wedi marwolaeth ei dad, i redeg busnes gyda'i fam yn Shirland Road, cyn iddo yntau ymddeol i Dregaron. Aeth trydydd mab, Glyn yn beiriannydd trydan.

Priododd Hettie a bu ganddi laethdai yn Shepherd's Bush yng ngorllewin y ddinas ac yn Holloway yn y gogledd cyn ymddeol i Abertawe.

Aeth Bess, sef mam Anne, fyny i Lundain i weithio i fodryb ei darpar ŵr yn Kennington yng nghanol y ddinas gan sefydlu'i busnes ei hun yn ddiweddarach yn Bromley by Bow, Tower Hamlets. Wedi iddi briodi fe wnaeth hi a'i gŵr, Dan Morgan, symud i fusnes llaeth yn Barking ar y cyrion tan i'r rhyfel dorri.

Fe symudodd teulu Anne i Lundain yn rhannol gan i ddwy chwaer ei mam briodi a setlo yno. Fe wnaeth ei mam-gu ar ochr ei thad, sef Elizabeth briodi David Morgan, yn wreiddiol o Aberhonddu. Lladdwyd ef mewn damwain yn y gwaith glo a symudodd Elizabeth wedyn i Lundain lle roedd ei mab, Dan Morgan, sef tad Anne, wedi symud eisoes. Bu gan ei frodyr a'i chwiorydd fusnesau mewn gwahanol ardaloedd o Lundain: Kensington, Kennington, Maida Vale a Holborn.

Yr ail deulu sy'n haeddu sylw manwl yw teulu Esgair-garn, Llanddewibrefi, enghraifft arall o deulu cyfan yn mudo. Ganwyd un ar bymtheg o blant i Lewis (1864–1939) a Sarah Jane Lloyd (1864–1951), pedwar yn marw yn fabanod. Er mwyn cynnal y teulu, byddai'r tad yn mynd i weithio i'r meysydd glo dros fisoedd y gaeaf. O blith y deuddeg o blant a oroesodd, aeth naw ohonynt i Lundain i weithio yn y fasnach laeth – ond dychwelodd pedwar ohonynt i ffermio yn sir Aberteifi ymhen blynyddoedd. Mae hanes pedwar o'r teulu yn darlunio'r thema'n berffaith.

Daniel oedd y cyntaf; gadawodd yn 1911. Disgrifiwyd telerau'r cytundeb mewn pennod flaenorol.

Dilynodd brawd, sef Moses (Moss) yn y 1920au, i weithio yn gyntaf gyda'i frawd Daniel gan ddilyn y traddodiad o ddysgu'r grefft oddi wrth berthynas. Priododd â Laura Mary Jones o Lanberis a chafodd gymorth ei frawd i gymryd prydles ar siop yn Islington.

Un o ferched Esgair-garn oedd Mary, a briododd ag Evan Edwards – roedd ef ei hun yn un o ddeuddeg o blant ac yn ddisgynnydd i borthmon. Ar ôl profi gwaith mewn amryw o wahanol feysydd yng Nghymru, gadawodd am Lundain i ymgymryd â busnes yn Tufnell Park. Bu gan Evan a Mary fusnes yn ddiweddarach yn Finsbury Park ac yno y buont yno nes iddynt ymddeol a dychwelyd i Dregaron. Yn y cyfamser roedd y ddau wedi cynorthwyo Sam Jones, un o'u cyn-gymdogion nôl yng Nghymru, i gymryd at fusnes yn Tufnell Park. Roedd hyn eto yn nodweddiadol o'r traddodiad o estyn llaw o gymorth i gydnabod. Yn ddiweddarach daeth brawd Sam i Lundain gan gymryd busnes yn Peckham.

Dyma droi yn awr at y trydydd teulu – roedd hwn eto o Landdewibrefi. Y cysylltiad presennol yw Helen Jones o Aberaeron. Roedd ei thad-cu ar ochr ei mam, sef Thomas yn bumed plentyn Esgair-garn. Ond mae Helen hefyd yn ddisgynnydd i deulu mawr arall o Landdewibrefi, sef teulu Pant-y-blawd. Yno, allan o'r deg o blant, gadawodd chwech ohonynt am Lundain. Yr hynaf, Jenno, oedd y cyntaf i adael pan gymerodd hi a'i gŵr Will fusnes yng ngorllewin

Llundain. Dychwelodd y ddau ymhen blynyddoedd i'r Felin yn Llanddewibrefi. Dilynwyd Jenno i Lundain gan bedwar brawd, Martin, Bert, Gordon a Tudor. Dilynwyd hwy gan chwaer, sef Megan. Roedd ganddi hi a'i gŵr, Elwyn fusnes yn Chelsea. Bu gan Gordon fusnes yn Drury Lane tra bu Tudor yn rhedeg bar brechdanau yn Shaftsbury Avenue. Fe briododd Martin ferch i Thomas Lloyd, un o blant Esgair-garn. Nhw oedd rhieni Helen.

Roedd tad Gareth Davies, sef John o Gapel Madog ger Aberystwyth (heddiw o Gaerdydd), yn un o wyth o blant. Fe ymfudodd John i Lundain i weithio gyda'i ddau frawd, William a Tom yn eu llaethdy yn Harlesden. Symudodd William i siop arall yng ngogledd y ddinas. Roedd mam Gareth, yn enedigol o Daliesin ac wedi gadael yr ysgol yn bedair ar ddeg oed. Ddwy flynedd yn ddiweddarach aeth i Lundain i weithio i deulu o Gymry a gadwai siop yn Brixton. Cyfarfu â'i darpar ŵr yn y sioe laeth yn Olympia a phriodi yng Nghapel Cymraeg Clapham yn 1938. Fe wnaethon nhw barhau â'r busnes yn Harlesden. Gall Gareth gofio sut byddai ei dad yn dechrau gweithio am bedwar bob bore i dderbyn y cyflenwad llaeth o fferm yn Harrow. Defnyddiai gerti llaw a cherti ceffyl cyn troi at rai trydan a derbyn y llaeth mewn poteli. Yng nghefn y siop roedd stablau a llofft ar gyfer cadw gwair, adlais o'r hen ddyddiau. Roedd ganddynt beiriant ar gyfer golchi poteli â dŵr berwedig a soda.

Enghraifft arall oedd teulu John Stephen Jones a anwyd yn 1907 ar fferm Felinfach, Tal-y-bont, sir Aberteifi. Fe symudodd y teulu i ffermio yn Ynystudur, Tre'r Ddôl. Roedd yno saith o blant a bu rhai o'r merched yn gweini ar wahanol ffermydd. Roedd chwaer eu mam eisoes yn byw yn King's Cross a hi wnaeth ddylanwadu ar dair o'r pedair merch yn y teulu i fynd i Lundain. Priododd Bessie'r chwaer hynaf â Jack Williams a aeth ati i gadw siop yn Stratford

Road, Kensington. Er mai John oedd y mab hynaf ac, fel oedd yr arfer, ef fyddai wedi etifeddu'r fferm, doedd ganddo fawr ddim diddordeb mewn ffermio ac yn ddwy ar bymtheg oed aeth i Lundain i weithio yn siop ei chwaer. Ond yn wahanol i'w chwiorydd, adre yr aeth John ymhen blwyddyn gan sefydlu busnes cludo. Yn y cyfamser gadawodd brawd a chwaer arall am Lundain gan adael dim ond dau o'r saith plentyn ar ôl.

Teulu mawr arall a fentrodd i'r busnes gwerthu llaeth yn Llundain oedd teulu Darren Fawr, Llandysul. Gadawodd dau frawd yn gyntaf gan sefydlu busnes yn ardal Elephant and Castle a dilynwyd hwy gan drydydd brawd a sefydlodd fusnes yn yr East End. Y pedwerydd o'r chwech oedd Margaret, a briododd yn 1938, ei gŵr yn dod o Lanbed. Etifeddodd y ddau fusnes modryb i Margaret. Pan dorrodd y Rhyfel, bu'n rhaid i'w gŵr ymuno â'r fyddin gan adael Margaret i redeg y busnes. Mewn pennod arall cawn eu hanes yn colli popeth o ganlyniad i'r bomio, a gorfododd hynny iddynt ddychwelyd nôl i Gymru.

Yn ogystal â theuluoedd cyfan yn mentro i Lundain, ceir enghreifftiau hefyd o gyplau'n mynd yno. Enghraifft gynnar o bâr priod yn gadael eu bro i fentro yn y ddinas fawr oedd Edward a Mary Jones, a adawodd Dalgarreg tua 1870. Ym mhapur bro *Y Gambo* dros ugain mlynedd yn ôl fe olrheiniodd E. Lloyd Jones hanes y teulu. Aelod o deulu Henbant oedd Edward, a Mary'n hanu o Bontrhydygroes. Mynd i weithio i siop David Evans yn Oxford Street wnaeth Edward, ond yn ddiweddarach mentrodd redeg ei fusnes ei hun yn gwerthu llaeth yn Highgate. Cadwai wartheg duon Cymreig yno i'w godro a chan ei fod yn ffinio â marchnad Caledonia, gwnaeth lawer o fusnes yno. Cadwodd gysylltiad â'i henfro ac am flynyddoedd anfonai gasgennaid o gwrw ar y trên i Landysul ar gyfer y cynhaeaf gwair yn Henbant. Bu farw yn Llundain yn 1927 ac yno, ym mynwent Highgate, lle

Evan Edwards o Dregaron, disgynnydd i borthmon ac un o ddeuddeg o blant. Bu ef a'i wraig yn rhedeg busnesau yn Tufnell Park a Finsbury Park.

Dyma lun o Mam y tu allan i'r siop yn Amner Road yn 1936.

John Stephen Jones o Dal-y-bont – aelod o deulu mawr yn cynnwys pedair chwaer a ymfudodd i Lundain.

Tom, un o aelodau teulu mawr Esgair-garn, Llanddewibrefi'n wreiddiol yn 1925. Mae ei wyres, Helen, yn byw yn Aberaeron.

Rhagor o deulu Esgair-garn

Llaethdy teulu Gwenllian Jenkins yn Clerkenwell

gorwedd Karl Marx, y'i claddwyd. Heddiw, warws i griw o Bacistaniaid yw'r hen laethdy, yn storfa a siop ar gyfer storio a gwerthu nwyddau wedi eu mewnforio.

Nodwedd amlwg ymhlith y rhai a adawodd am Lundain, fel y nodwyd, oedd olyniaeth. Roedd tad Gwenllian Jenkins, Llanfabon, Caerffili, sef Gwilym Thomas Jenkins o Bontarfynach yn cynrychioli'r drydedd genhedlaeth i ymgymryd â busnesau llaeth yn y ddinas. Ganwyd Evan Jenkins, hen dad-cu Gwenllian yn 1829. Roedd e'n fwynwr a fu farw ac yntau ond yn 46 oed. Symudodd ei weddw a'r ddau fab i Lundain; disgrifir hi yng nghanlyniadau Cyfrifiad 1891 fel perchennog llaethdy yn Clerkenwell. Fe wnaeth y ddau fab, Thomas a John ei ddilyn i'r fasnach laeth – roedd gan Thomas laethdy yn Bermondsey yn 1881 ac yn ddiweddarach yn Newington a Battersea. Disgrifiwyd ef mewn adroddiad angladdol yn y *Welsh Gazette* fel 'bardd cymeradwy ac englynwr medrus' yn cyfansoddi dan yr enw barddol 'Didymus Gyfarllwyd' gan ennill gwobrau eisteddfodol yng Nghymru ac yn Llundain.

Bu'r ail fab, John yn llaethwr gydol ei fywyd gwaith, o 1895 hyd at 1949 gan redeg busnesau yn Battersea, Willesden a Southark. Roedd yn un o sefydlwyr achos Capel Clapham Junction yn 1895 a byddai, ag yntau yn ei 80au, yn teithio'n rheolaidd ar y bws i Siop Lyfrau Cymraeg Griffs yn Charing Cross ac i San Steffan bob tro y cynhelid sesiynau Cwestiynau Cymreig yn y Siambr. Bu ei fab Gwilym, sef tad Gwenllian yn helpu ei dad yn yr Usk Road Dairy a byddai'n mwynhau adrodd wrthi sut iddo unwaith weld Gwilym Lloyd George yn cael ei olchi mewn padell sinc pan fyddai'n cyflenwi llaeth i deulu Lloyd George.

Un Cymro nodedig a arferai alw yn siop ei thad-cu oedd y bardd Dewi Emrys. Credai rhai fod Dewi yn amhoblogaidd ymhlith ei gyd-Gymry yn Llundain ond, yn ôl tystiolaeth ei thad-cu, doedd dim gwirionedd yn hynny.

Mae Gwenllian, fel ei thad o'i blaen, yn ymhyfrydu yn ei gwreiddiau Cymreig. Yr hyn sy'n arbennig o ddiddorol am y teulu yw bod eu hanes, nid yn unig yn amlygu eu traddodiadau busnes dros dair cenhedlaeth, ond hefyd yn dangos y diddordebau llenyddol a chrefyddol hynny a ddaethant gyda nhw o Gymru gan eu cynnal mewn amgylchedd oedd yn ddieithr iddynt.

Eithriad i'r mudo o sir Aberteifi fel teulu oedd fy rhieni. Dim ond cysylltiadau pell oedd gan fy nhad â'r fasnach laeth. Roedd fy mam o Gaerwedros ar yr arfordir a'r traddodiad oedd y byddai'r dynion yn ymuno â'r Llynges Fasnachol. Doedd yna ddim cyfle tebyg i'r merched. Gorfu iddi adael yr ysgol yn dair ar ddeg oed ond dilynodd gwrs mewn llaethyddiaeth gan ennill ysgoloriaeth ar gyfer astudio am Ddiploma yn y pwnc yn y Brifysgol yn Aberystwyth. Er hynny, pan gyfarfu 'Nhad a Mam bu atynfa Llundain yn ormod iddynt. Fe wnaethant ymuno â'r mudo mawr gan redeg cyfres o fusnesau yn Shoreditch, Brixton, Clapham a Richmond. Ond doedd gen i ddim awydd ymuno â'r fasnach honno. Erbyn hynny roedd pethau ar i lawr a dewisais ddilyn cwrs mewn gwyddoniaeth. Ond ni chollais erioed y parch tuag at y rhai hynny oedd yn meddiannu ar y dyfalbarhad a'r dycnwch oedd yn angenrheidiol wrth ddilyn y Llwybr Llaethog.

Ond cadwyd y traddodiad ymhlith aelodau eraill o'n teulu ni. Dilynwyd Mam i Lundain gan gyfnither iddi, Phoebe James o Frongest. Priododd, a chymerodd hi a'i gŵr, Jim * at siop yn Grays Inn Road tan ymhell ar ôl diwedd yr Ail Ryfel Byd.

Eithriad o fath arall oedd

Phoebe a Jim Boudier o flaen eu llaethdy yn Gray's Inn Road

aelod o deulu'r Cilie. Ceir yr hanes gan Jon Meirion Jones yn ei gyfrol *Morwyr y Cilie*. Yno mae'n adrodd hanes ei dad, Jac Alun Jones, ŵyr i benteulu'r Cilie. Roedd Capten Jac Alun yn fab i Esther, un o ferched y Cilie ac aeth i'r môr yn 1924 ar yr *SS Ravenshaw*. Ond arweiniodd dirwasgiad y tri degau at i nifer helaeth o longau masnach Prydain gael eu cadw'n segur, a rhwng 1933–1935 ymunodd

Jac Alun gyda chert llaethdy'r teulu yn Finsbury Park

Capten Jac â'r fasnach laeth yn Llundain gan fynd ati i gadw siop yn Finsbury Park. Aeth ati i roi disgrifiad byw o'i fywyd ym mhrifddinas Lloegr i'w fab:

> Dysgais lawer ar sut oedd teuluoedd yn byw yn y ddinas fawr, a dy fam Ellena yn dweud pe buasai aelodau Capel y Wig ond yn gwybod sut oedd pobl yn ymddwyn yno!
>
> Pan oedd y dirwasgiad ar ei waethaf, prynai'r teuluoedd werth ceiniog o de, gwerth ceiniog o fargarîn, bisgedi a llaeth ar y tro. Bywyd caeth iawn oedd hwnnw, codi am hanner awr wedi pedwar bob bore, Sul, gŵyl a dydd gwaith. Ond roeddwn yn cael dydd Sul rhydd ac yn mynd i'r oedfa yn Kings Cross bob nos Sul lle roedd yr anfarwol Elfed yn weinidog. O'r oedfa byddwn yn mynd i gael swper yn Lyons Corner House ac wedyn i Hyde Park lle cawn glywed yr areithwyr yn eu huchelfannau. Byddai'r gorymdeithiau newyn yn ymgynnull yno wedi cerdded o Jarrow, Birmingham a Harrow. Cofiaf am y glowyr Cymreig yn canu emynau. Taflai rhesi o bobl

eu ceiniogau prin ar y stryd o'u blaenau fel manna.

Rhyfedd o amser oedd hwnnw; 3½d oedd peint o laeth a 1¾d oedd am hanner peint. Dyma'r tro cyntaf a'r olaf i mi ddelio â ffyrlingau. Ni wnaethom ffortiwn yno, ond roeddwn yn falch iawn o gael gwared â'r anturiaeth fawr a chael dychwelyd i hedd y wlad.

Ond morio oedd dewis yrfa ŵyr y Cilie, ac ar ôl deunaw mis a deimlai, meddai, fel dedfryd o bum mlynedd o garchar ymunodd â'r llong *Penpleet* fel ail fêt. Cafodd eto deimlo awelon y môr ar ei wyneb wrth hwylio, a bu'n barddoni yn unol â thraddodiad ei hynafiaid o'r Cilie.

Tra bod tuedd i gredu fod bron y cyfan o'r fasnach laeth wedi ei seilio ar alltudion o sir Aberteifi, ceir tystiolaeth o alltudion o rannau eraill o Gymru yn ogystal. Ond hyd yn oed ymysg y manylion hynny, mae modd canfod cysylltiadau â sir Aberteifi. Croniclwyd hanes un teulu, o Bontrhydfendigaid yn wreiddiol, gan Nancy Roberts o Dregarth ger Bangor a'i merch Jois a gŵr honno, Richard Snelson, sy'n byw yn Ninbych.

Ganwyd Evan Jones ym Mhontrhydfendigaid yn 1841, a chafodd ef a'i wraig, Margaret wyth o blant. Aeth pedwar ohonynt, tri brawd a chwaer, i Lundain i agor busnes llaeth yn Lambeth Walk, sef The People's Dairy. Ar ôl hynny symudwyd i Barkworth Road, (Hampshire Farm Dairy) yn ystod y Rhyfel Byd Cyntaf, lle roedd tair rownd laeth ganddynt dan yr enw Jones Bros. Bu farw'r chwaer, Maggie yn 1957 a daeth y busnes i ben.

Yn y cyfamser aeth Ann, yr hynaf o wyth plentyn Evan a Margaret, gyda'i gŵr, Thomas Davies o Bontrhydfendigaid i fyw ym Mhenrhiwceiber i weithio yn y pyllau glo. Ganwyd iddynt wyth o blant a phriododd un ohonynt, Margaret â gogleddwr, Ted Hughes a anwyd yn 1896. Melinydd o Lasinfryn ger Bangor oedd ei dad. Roedd Ted wedi bod yn gweithio yn y chwarel ym Methesda ond aeth i lawr i'r Sowth i chwilio am waith. Yn ddiweddarach, symudodd yn ôl i'r chwarel i Fynydd Llandegai lle ganwyd Nancy yn 1923. Daeth brawd ieuengaf Margaret, sef Davy, i fyw atynt yn y gogledd. Penderfynwyd chwilio am fywyd gwell yn Llundain ac agorodd siop laeth yn Combermere Road, Stockwell (Jersey Farm Dairy). Mae'r siop wedi'i throi yn dŷ bellach. Yn dilyn hynny fe wnaethant symud dros yr afon i Garth Dairy yn Bramley Road, North Kensington, gyda Davy'n dal i fyw gyda nhw. Bu farw Margaret yn 1943 ond parhaodd Ted yn y busnes gan symud i'r drws nesaf i'r Badge Cafe yn 1950. Yng nghanol y 1960au dymchwelwyd nifer o strydoedd yn yr ardal ac erbyn hyn mae'r siop a'r caffi o dan golofnau concrid y Westway. Claddwyd Margaret a Ted yn Nhregarth ger Bangor.

Daeth perthnasau o Benrhiwceiber i ymweld â'r teulu yn Bramley Road ac yn Barkworth Road a bu un, sef Dick, brawd arall i Margaret, yn gweithio yn y busnes yn Barkworth Road. Priododd Dick â Sarah Jane Lloyd, un o deulu Esgair-garn, Llanddewibrefi, y cyfeiriwyd atynt yn gynharach yn y bennod hon ac fe aethant ati i redeg busnes yn Latimer Road.

Mae hanes y teulu Jones o Bontrhydfendigaid yn dilyn patrwm cyffredin o hanes y Cymry yn Llundain. Gan ddechrau yn sir Aberteifi, mae'r hanes yn symud i rannau eraill o'r wlad mewn ymdrech i ddod o hyd i waith yn y diwydiannau traddodiadol, fel glo a llechi – y ddau ddiwydiant yn ffynnu yng Nghymru ar y pryd. Fodd bynnag, yn y pen draw, dull sir Aberteifi o chwilio am fywyd gwell yn Llundain a orfu gyda'r teulu'n symud yno a datblygu eu busnesau llaeth, nes gorfod arallgyfeirio ar ôl y rhyfel wedi i'r busnesau llaeth bychan gael eu llyncu gan y busnesau mawr. Yn y diwedd fe ddaethant adre i Gymru i'w claddu ac, yn eironig, mae safleoedd eu gwaith caled hwythau hefyd bellach dan goncrid Llundain wedi i'w dinas fabwysiedig dyfu a datblygu ymhellach.

Er mai o sir Aberteifi yr aeth y mwyafrif mawr i Lundain, mae yna eithriadau eraill. Daeth John Jacob (1897–1979) o'r Rhondda. Fe'i hanafwyd mewn damwain yn y pwll glo, ac er iddo gymhwyso'i hun i fod yn beiriannydd, ni fedrai gael gwaith adeg dirwasgiad 1933. Felly fe wnaeth yntau fudo. Ymunodd â'i frawd-yng-nghyfraith, Tom Jones, gan fasnachu dan yr enw 'Jones and Jacob'. Yn ddiweddarach dychwelodd Tom i Gymru ond arhosodd John Jacob, yn enghraifft o ddyn llaeth o gefndir nad oedd yn amaethyddol.

Fe gynrychiolwyd y gogledd gan eraill yn ystod yr adeg hon yn ogystal. O Dywyn aeth William Davies i Lundain yn gynnar yn yr ugeinfed ganrif. Doedd ganddo fawr ddim Saesneg ond fe lwyddodd, fel y rhelyw o laethwyr.

Fe aeth rhai i Lundain hefyd yn ddiweddarach yn y ganrif. Aeth Eluned Jones i ardal Tottenham o Faesteg yn 1947. O Bowys yr hanai teulu John Richards-Jones. Ymfudodd ei dad i Lundain – enghraifft arall o rywun o'r tu allan i sir Aberteifi i fentro, er mai Cardi o Nebo oedd ei wraig. Aeth y ddau i Lundain fel cymaint o'u blaen ac o'u hôl, oherwydd diffyg cyfleoedd yn ôl yng Nghymru. Priodwyd y ddau yn 1939 yng Nghapel Shirland Road. Treuliodd John flynyddoedd y rhyfel mewn diogelwch nôl yng Nghymru a chofia helpu ei dad ar y wâc laeth er mwyn ennill arian poced. Mae'n rhaid mai ef oedd un o'r rhai ieuengaf i fod yn cerdded y wâc laeth.

Er bod yna eithriadau, daw'n eglur fod y rhan helaethaf o'r mudo i'r busnes llaeth yn Llundain wedi dod o blith teuluoedd tlawd neu niferus – neu'r ddau – o sir Aberteifi. Diddorol yw nodi, er gwaethaf atyniad y bywyd brasach a gynigiai'r ddinas fawr, mai 'adref' oedd Cymru o hyd. A'r dewis alwedigaeth, y gwnaeth cymaint o'r alltudion ddychwelyd iddi pan godai'r angen neu'r cyfle, oedd ffermio.

Fe wnaeth y mwyafrif adael er mwyn gwneud bywoliaeth well na'r hyn oedd yn bosibl yn sir Aberteifi ar ddechrau'r ugeinfed ganrif. Ond anaml y byddai hynny'n golygu'r golud oedd yn nychymyg y rhai oedd ar ôl. Er hynny, y mae yna enghreifftiau o lwyddiannau sylweddol sy'n werth eu nodi.

Gadawodd Dewi Morgan o Fethania am Lundain yn llanc dwy ar bymtheg oed, gyda dau bapur punt a thocyn trên i Paddington yn ei boced, i weithio fel dyn llaeth. Dangosodd gynildeb nodweddiadol ei gyd-Gymry drwy fuddsoddi deg swllt (50c) yr wythnos o'i gyflog. Yn ystod yr Ail Ryfel Byd llwyddodd i brynu nifer o fusnesau, eu datblygu a'u gwerthu ymlaen i fusnesau aml-ganghennog. Wedi iddynt brynu a gwerthu sawl busnes fe ddychwelodd Dewi a'i wraig Nanno i Fferm Pencarreg, Llanrhystud ym mis Ionawr 1963 cyn ymddeol ddiwedd 1981 a symud i Bennant. Arweiniodd ei lwyddiant at iddo fedru cynorthwyo nifer o achosion da gartref yn sir Aberteifi, yn amrywio o ehangu'r eglwys leol yn Nhrefilan i ariannu peiriant arbenigol ar gyfer trin y galon yn Ysbyty Bronglais, Aberystwyth.

Mae yna hanes hir o nawdd yr alltud, sef helpu i gynnal perthnasau ac achosion da yn yr henfro. Roedd hyn yn gwbl nodweddiadol o drwch yr allfudwyr. Mae teulu Roger Davies heddiw'n ffermio yn Llanwrtyd ac fe aeth brawd ei hen dad-cu i Lundain i werthu llaeth yn gynnar yn y bedwaredd ganrif ar bymtheg. Daeth llwyddiant i'w ran a thalodd am dŷ newydd ac efail i'w nai, a oedd yn of. Cyfrannodd yn hael hefyd tuag at les aelodau eraill o'i deulu ac at ail-adeiladu'r capel lleol. Roedd tad Roger yr ieuengaf o dri ar ddeg o blant. Dilynodd rhai ohonynt eu tad-cu i Lundain gyda rheiny, yn eu tro, hefyd yn cyfrannu'r ariannol i'w perthnasau yn ôl yng Nghymru.

Mae yna enghreifftiau o enwogion a wnaeth yr un peth.

Fe adawodd Syr David James, Pantyfedwen am Lundain i gynorthwyo'r teulu i redeg eu busnes llaeth yn ardal Westminster. Ehangodd i brynu a gwerthu grawn ac yn 1930 arallgyfeiriodd i'r busnes adloniant – sinemâu'n arbennig. Bu'n berchen ar dair ar ddeg o sinemâu yn cynnwys yr arch sinema gyntaf i'w hagor yn y brifddinas sef y Palladium yn Palmer's Green yn 1920. Mae ei enw'n dal yn fyw ac yn gysylltiedig ag Eisteddfodau Pontrhydfendigaid, Aberteifi a Llanbed. Ariannodd hefyd gost adeiladu'r Pafiliwn Mawr a'r ganolfan gymdeithasol eang a meysydd chwarae ym Mhontrhydfendigaid, ei hen gartref. Talodd am y ffenestri lliw a welir yn eglwys Ystrad-fflur ac arian Ymddiriedolaeth Pantyfedwen sy'n cynnal a chadw'r fynwent.

Un arall fu'n llwyddiannus oedd Alban Davies o Lanrhystud. Wedi iddo briodi aeth i Lundain i weithio yn llaethdy ei frawd-yng-nghyfraith cyn mynd ymlaen i brynu llaethdai Hitchman. Erbyn y 1920au roedd yn cyflogi pum cant o weithwyr yn ei laethdai gan gynhyrchu 120,000 galwyn o laeth y dydd. Yn dilyn ymweliad ag America, daeth adre â'r syniad am gapiau metel i ddisodli'r hen gapiau cardfwrdd.

Bu Alban Davies yn aelod o Gyngor Walthamstow am naw mlynedd. Sefydlodd Gapel Cymraeg Moriah yn Walthamstow a byddai, yn ôl T. I. Ellis yn *Crwydro Llundain*, yn cyfrannu deg y cant o'i holl enillion i'r achos yn flynyddol. Dychwelodd i fyw ym Mrynawel, Llanrhystud a bu'n Gynghorwr sir ac yn Uchel siryf yn 1940. Ef wnaeth sefydlu cartref henoed y Deva yn Aberystwyth. Prynodd a chyflwynodd dri chan erw o dir i Goleg Prifysgol Cymru, Aberystwyth i'w atal rhag cael ei ddatblygu fel safle adeiladu tai ac ar y tir hwnnw ar Riw Penglais y saif y rhan helaethaf o gampws y Brifysgol yn y dref. Bu farw yn 1951.

Gadawodd Evan Evans Langeitho ar ddiwedd y bedwaredd ganrif ar bymtheg gyda thocyn un ffordd a brynwyd iddo gan berthynas oedd wedi trefnu gwaith ar ei gyfer. Ond gyda chefnogaeth y rhwydwaith o Gymry Llundain a oedd yn adnabod ac yn awyddus i helpu ei gilydd, llwyddodd i wneud yn fawr o'r cyfleoedd oedd yn cael eu cynnig gan Lundain ar y pryd. Torchodd ei lewys yn y fasnach laeth ar unwaith. Fe'i dylanwadwyd gan ei fam i fod yn gefnogol i'w deulu ac aeth ati'n fuan i gynorthwyo dau o'i frodyr i sefydlu eu busnesau eu hunain.

Datblygodd ei fusnes i redeg cerbydau cario teithwyr yn cael eu tynnu gan geffylau ac yna cerbydau siarabáng a bysys a phrynodd westy'r Celtic. Fe'i disgrifiwyd gan T. I. Ellis yn *Crwydro Llundain* fel 'ail Thomas Cooke'.

Roedd Evan Evans mor flaengar ei syniadau fel i'r manylion canlynol ymddangos fel hysbyseb yn rhifyn 33 o'r *Ddolen*, papur Cymraeg y Cymry yn Llundain, yn 1933:

An aeroplane will leave London at 8am, Aug 30, for the Llangeitho Show. Lunch will be provided. Fare £5.

Pan fu'n rhaid ailadeiladu Capel Jewin wedi'r rhyfel (fe'i difrodwyd gan fom yn 1944), cyfrannodd Evan Evans yn helaeth at y gost. Bu ei statws a'i ddylanwad gymaint fel iddo gael ei ethol yn Faer St Pancras ddwywaith, cyn ac yn ystod y rhyfel, a llwyddodd i gael ei wahodd i fod yn aelod o Urdd y Gwneuthurwyr Harnais, sef y cwmni lifrai egscliwsif, The Loriner's Guild. Er bod i'r Urdd gysylltiadau masnachol yn wreiddiol, diben dyngarol a chymdeithasol oedd iddi erbyn hynny; ond roedd aelodaeth yn adlewyrchu safle mewn cymdeithas. Bu farw Evan Evans yn 1965 ac yntau yn 83 oed.

Un a fu'n aelod o Urdd y Gwneuthurwyr Harnais lawer yn gynharach nag Evan Evans oedd John Morgan, a anwyd yn Aberystwyth yn 1822. Gadawodd i redeg busnes llaeth yn Clerkenwell gan ddisgrifio'i hun fel 'John Morgan,

Gentleman and in posession of property in London and Llanfihangel Genau'r Glyn.' Bu farw yn 1893.

Cardi arall a fu, fel Evan Evans yn Faer St Pancras oedd Syr David Davies. Ganwyd ef yn Nhy'n Cae, Y Berth ger Tregaron yn 1870 yn fab i ffermwr. Gadawodd am Lundain i ymgymryd â wâc laeth a phenodwyd ef yn arweinydd cyntaf Cymdeithas Manwerthwyr Llaeth Llundain. Bu'n Faer am ddeng mlynedd o 1912 hyd 1922. Etholwyd ef yn Aelod Seneddol Ceidwadol a bu'n aelod o Gyngor Dinas Llundain ac yn Henadur. Ei wraig oedd Mary Anne Edwards o Dymawr, Eglwys-fach.

Ceir enghreifftiau hefyd o ynni a gweithgarwch rhai o fasnachwyr llaeth Llundain a aeth yno o'r tu allan i sir Aberteifi. Ganwyd William Price (1865–1938) yn Llanwrtyd, y chweched o naw o blant i ffermwr. Sefydlodd laethdy manwerthu yng ngorllewin Llundain ac aeth ymlaen i fod yn bartner yn y Great Western and Metropolitan Dairies, gan ddod yn ddiweddarach yn gyfrifol am sefydlu United Dairies. Bu'n gyfrifol drwy'r busnes am sicrhau cyflenwad rheolaidd o laeth i Lundain drwy gydol y Rhyfel Byd Cyntaf ac yn 1926, yn ystod y Streic Gyffredinol. Urddwyd ef yn farchog yn 1922. Bu ei gyfraniad i fywyd dinesig a chrefyddol Llundain yn un mor nodedig. Bu'n Ynad Heddwch, yn ddiacon yn ei gapel Presbyteraidd yn ogystal â bod yn noddwr i'w hen achos yng nghapel Llanwrtyd.

Diddorol nodi mai Cymro Cymraeg o Dreffynnon, D. R. Hughes (1874–1953) fu ysgrifennydd United Dairies a golygydd cylchgrawn staff y cwmni am flynyddoedd. Bu hefyd yn gyd-olygydd *Y Ddolen*.

Roedd rhai o'r bobl a heidiodd o Gymru i Lundain yn creu ffortiwn, ond roedden nhw'n barod i weithio'n galed a rhannu eu cyfoeth yn ogystal. Roedd yna barodrwydd i fod yn gefn i gyd-Gymry oedd yn eu holynu ar hyd y ffordd i Lundain, heb anghofio cefnogi achosion oedd yn agos at eu calonnau adre yn yr hen wlad. Fel y dywedodd y bardd Ceri Wyn yn ei gwpled:

> Nid yw dwrn y Cardi'n dynn
> Âi gyfoeth pan fo'r gofyn.

Y nod oedd gweithio'n galed, gwneud yn dda a dod adre i Gymru gyda thystiolaeth amlwg o fod wedi llwyddo. A phan wnâi Cymro oddi cartref farw yn ei waith câi, bron yn ddieithriad, ei gludo'n ôl i'w henfro i'w gladdu yn erw'r teulu. Yn dilyn y gwasanaeth hwyr ar nos Sul câi'r arch, ynghyd â'r teulu eu cludo i Blatfform 1 yng Ngorsaf Paddington ac yna ar y trên nos i'r orsaf agosaf at yr hen gartref yng

Carreg fedd Sarah Anne Jones ym mynwent Llanfihangel Genau'r Glyn

Nghymru. Ar y platfform, cyn ymadawiad y trên, ymgasglai'r gynulleidfa o alarwyr. Ac wrth i'r trên adael yn araf fe wnâi'r codwr canu daro'r nodyn agoriadol ar gyfer emyn David Charles, Caerfyrddin: 'O Fryniau Caersalem'.

Enghraifft dda o ddigwyddiad o'r fath fu angladd Sarah Jones, Stoney Lane, Middlesex Road yn yr East End yn 1937. Roedd digwyddiadau fel hyn yn achlysuron mor arbennig nes i'w hangladd gael sylw mewn nifer o bapurau newydd y cyfnod. Daeth dau gant o alarwr i Orsaf Euston (Paddington fyddai'r orsaf arferol) i ffarwelio â'r arch. Yn 59 oed, disgrifiwyd hi yn *The Star* fel un a fu'n garedig i rai mewn cyfyngder. Bu'n rhannu wyau a gwahanol nwyddau eraill o'i siop am ddim ymhlith cleifion ac anffodusion eraill ei hardal. Byddai hefyd yn gwahodd dieithriaid i rannu bwyd wrth fwrdd ei chartref. Roedd ganddi hi a'i phriod, Henry, a'i rhagflaenodd, un ar ddeg o blant, saith ohonynt yn ferched.

200 SING HYMNS AT STATION

Woman Who Was Loved In The East End

TWO hundred people took part in hymn-singing at Euston Station when the body of Mrs. Sarah Jones, an East End dairywoman, was sent back to her native Wales for burial to-day.

Mrs. Jones, who was 59, was loved by all in the East End.

Her Generosity

No one who asked her for assistance was refused.

If, on her round, she heard of a case of sickness among the poor, she would give them eggs and other provisions from her shop, and sometimes complete strangers were invited in to have a meal with the family.

Many Wreaths

She had 11 children—seven sons and four daughters.

After a service at the house the procession left the shop in Stony-lane, Middlesex-street, where she had lived for 36 years.

The funeral cars used were covered

Cynhaliwyd gwasanaeth angladdol yn y cartref lle bu'n byw am 36 mlynedd. Adroddwyd fod y ceir oedd yn dilyn yr hers, dros ddeg ar hugain ohonynt, wedi eu gorchuddio â blodau a phlethdorchau, a bod y galarwyr yn llenwi ochrau'r strydoedd. Canwyd emynau ar y platfform yn ôl yr adroddiadau. Claddwyd hi, fel ei gŵr, ynghyd â phlentyn a fu farw'n faban ym mynwent Eglwys Llanfihangel Genau'r Glyn. O dan ei henw ar ei charreg fedd ceir yr adnod:

Hyn a allodd hon, hi a'i gwnaeth.

Dick (Richard John) Davies   *Ted Hughes a Bill Jones*

Margaret Hughes ac eraill, Combermere Road

Ffuglen a Ffaith

Ychydig cyn Nadolig 1996 cychwynnodd S4C ar gyfres ddrama 'Y Palmant Aur', sef hanes teulu a fu'n rhan o'r diwydiant llaeth yn ystod ugeiniau'r ganrif ddiwethaf. Craidd y stori oedd cyferbyniad rhwng dau brif gymeriad, y naill yn aros adre yn sir Aberteifi a'r llall yn mynd i Lundain. Y cymeriadau hynny oedd Ifan, a arhosodd adre i ffermio Ffynnon Oer, ac Isaac, a lwyddodd drwy werthu llaeth ym mhrifddinas Lloegr.

Agorodd yr hanes, a ffilmiwyd gan gwmni teledu Opus gyda marwolaeth yr hen benteulu, sef y matriarch, a genedigaeth plentyn siawns. Ymchwiliwyd yn fanwl i ffynonellau fel *Y Ddolen* a *The London Welshman*, cyfnodolion y Cymry alltud, heb sôn am holi aelodau o deuluoedd a gafodd brofiad o'r fasnach a'r bywyd Llundeinig.

Awdures y stori – a redodd i bedair cyfres – oedd Manon Rhys. Cyhoeddodd y stori hefyd mewn tair nofel, *Siglo'r Crud* (1998), *Rhannu'r Gwely* (1999) a *Cwilt Rhacs* (1999). Roedd hi'n ysgrifennu o brofiad gan i aelodau o'i theulu o'r ddwy ochr fod yn rhan o'r diwydiant llaeth yn Llundain. Er iddi gael ei geni yn y Rhondda, hanai ei mam o Ffosyffin a'i thad o Dregaron.

Ac mae ymhoniad y thema – sy'n wir i raddau helaeth – fod modd gwneud yn dda yn Llundain tra bod aros ar y fferm yn frwydr galed, yn ffaith. Mae hwnnw'n rhedeg fel llinyn drwy'r holl stori.

Roedd Ffynnon Oer yn cynrychioli'r tyddyn traddodiadol yn sir Aberteifi yn ugeiniau'r ganrif ddiwethaf gyda'r tenant yn gorfod wynebu pridd asidig tenau, oedd â gofyn ei weithio'n ddygn a gofalus er mwyn cael unrhyw fath o fywoliaeth. Dyna'r math o dyddyn lle codwyd Kitchener Davies, tad yr awdures sef Llain ger Llwynpiod ar gyrion

*Cast y ddrama gyfres 'Y Palmant Aur' ar S4C yn ystod y 1990au oedd yn
cyflwyno darlun cytbwys o'r hanes*

Cors Caron. Mae drama fydryddol Kitchener, *Meini
Gwagedd* (1944) yn ddarlun perffaith o fywyd tyddynwyr sir
Aberteifi ar ddechrau'r ganrif ddiwethaf. Ac yn 'Y Palmant
Aur', awgrymir fod unrhyw fywyd amgen, yn arbennig un
mor rhamantus â Llundain, yn sicr o fod yn welliant
economaidd.

Golygai bywyd tyddynnwr yn sir Aberteifi waith caled
am enillion bychan. Hynny a arweiniodd at y disgrifiad
annheg o'r Cardi tynn ac fe wnaeth y nodwedd hon, heb
amheuaeth gyfrannu at lwyddiant ariannol y mudwyr yn y
ddinas. Ond roedd yno hefyd gydweithredu a pharodrwydd
i roi help llaw.

Gellid disgwyl y byddai pobl syml fel hyn o gefn gwlad
wedi ildio i oleuadau llachar y ddinas fawr. Ceir
enghreifftiau o newydd-ddyfodiaid o ardaloedd gwledig sir
Aberteifi yn cael eu hebrwng i'r White City lle cynhelid rasys
milgwn, er mwyn eu rhybuddio rhag temtasiwn. Mor hawdd

Ann Jones yn ei chartref

fyddai mynd yno i fentro enillion prin ar drwyn milgi, rhywbeth a arweiniodd at y dywediad Saesneg 'Going to the dogs'. Tybed pa mor aml y clywyd y rhybudd i gadw ar y llwybr cul?

Ffuglen oedd 'Y Palmant Aur'. Ond gallasai fod yn wir. Fe dynnodd Manon Rhys ar brofiadau ac atgofion teuluol. Isod, cewch ddarllen atgofion gwraig hynod a brofodd y bywyd yn bersonol. Mae atgofion Ann Jones o Fronnant yn dweud y cyfan:

Fe adewais i fy nghartref ym Mhantddafad, Bronnant yn ddeuddeg oed yn 1933, fi a'm rhieni a'm brawd Dan. Tyddyn bach oedd e, ac roedd Mam-gu'n byw lle dwi'n byw nawr. Y rheswm i 'Nhad a Mam godi eu pac oedd diffyg bywoliaeth. Roedd y ddaear yn wael a bywyd yn galed. Roedd Mam yn wniadyddes er mwyn dod ag ychydig geiniogau ychwanegol i mewn. Rhaid oedd mynd neu glemio. Rwy'n cofio 'Nhad yn gwerthu llo am saith-a-chwech. Ac ar ôl ei fwydo ar laeth am wythnos fe gâi'r un â'i prynodd e bedair neu bum gwaith hynny amdano. Cofiwch, roedd saith-a-chwech yn bris teg bryd hynny. Er mwyn cael dau pen llinyn ynghyd roedd Mam yn wniadyddes, yn gweithio am dair ceiniog y dydd.

Dim ond 54 erw oedd Pantddafad lle roedden ni'n cadw buwch a'i llo, mochyn ac ychydig ieir. Wedyn fe werthwyd rhan o'r tir gan adael dim ond 17 erw. Pan symudodd Mam-gu i Arfron, lle dwi'n byw nawr, fe fyddwn i'n eistedd gyda hi ar y sgiw fach, hi'n darllen y *Drysorfa Fach* yng ngolau'r gannwyll a'r gwêr yn diferu dros ei dillad. Wedyn fe fyddwn i'n gorfod ailadrodd ar ei hôl hi. Dyna sut ddysgais i ddarllen.

Ar y trên o stesion Tregaron wnaethon ni adael am Lundain a'r celfi'n mynd ar wahân mewn lori Pickfords. Doedd dim hiraeth arna'i wrth adael. I ferch ddeuddeg oed roedd y peth yn antur fawr. Roedd fy rhieni wedi prynu busnes gwerthu llaeth yn Central Street, Hoxton ym Mwrdeistref Hackney yn yr East End. Roedd y busnes ar gyrion ardal y banciau mawr yn y Ddinas. Perthynas i Mam, oedd yn asiant tai yn Llundain, wnaeth ffeindio'r busnes iddyn nhw.

Fe es i a 'mrawd i'r ysgol leol yn Hoxton, i ganol y Cocnis. Roedd hi'n ysgol ddigon garw ond fe ddaethon ni ymlaen yn dda yno heb unrhyw drafferth mawr. Wedyn fe ddaeth y busnes y drws nesaf i'r llaethdy ar y farchnad, siop Iddewig. Fe brynodd fy nhad y lle a'i droi'n far bwydydd ysgafn fel brechdanau, rholiau, coffi a the. Gan ein bod ni mor agos i'r Ddinas, lle roedd y banciau a'r arian mawr roedd yno gryn brysurdeb.

Fuodd fy mrawd a finne ddim yn hir cyn dygymod â bywyd y ddinas fawr. Roedd gen i ychydig o Saesneg, wel o leiaf roedd gen i 'Good morning,' 'Good afternoon' a 'Thank you very much'. Roedd Saesneg da gan 'Nhad ond doedd Mam ddim mor rhugl. Fe fyddai hi'n disgrifio'i Saesneg fel 'Saesneg tramp'.

Aeth Dan fy mrawd ddim i'r busnes. Fe ddewisodd e fynd i'r maes meddygol. Fe aeth i Ysgol Feddygol Ysbyty Barts i astudio'r llygaid. Fe gymhwysodd i fod yn optegydd ac yna'n arbenigwr ar y llygaid. Fe aeth i Harley Street ac yna fe'i penodwyd e'n arbenigwr y llygaid ar garcharorion Wormwood Scrubs. Fe fyddai'n mynd yno dri bore'r wythnos.

Ar ôl sefydlu yn Llundain, prin iawn fyddai ein

hymweliadau â Bronnant wedyn. Y gwir amdani oedd ein bod ni'n rhy brysur i fynd. Roedd angen cadw golwg ar y busnes byth a hefyd. Doedd yna ddim amser i wyliau.

Wnaethon ni ddim gadael hyd yn oed adeg y rhyfel. Fe wnaethon ni lwyddo i oroesi'r hunllef ofnadwy honno. Fe fomiwyd amryw o'r adeiladau o'n cwmpas ni. Pan ganai'r seiren fe fydden ni'n rhedeg i un o seleri hen fragdy mawr gerllaw i lochesu. Hyd yn oed wedyn, mewn un cyrch gan y Luftwaffe fe laddwyd cant yno. Rwy'n cofio gweld cyrff yn gorwedd ar y llawr o gwmpas ym mhobman.

Roedd gan fy nhad, Morgan Ifor Morgan ei rownd laeth ei hun. A rhwng y busnes llaeth a'r bar bwyd roedd ganddon ni ddwy ferch leol yn gweithio i ni. Yna dyma 'Nhad yn penderfynu chwilio am londrét. Fe wnaeth e ganfod un yn Chiswick, mewn ardal ffasiynol gyda thai mawr lle roedd llawer o sêr y llwyfan, fel Tommy Cooper, yn byw. Roedd e'n teimlo y byddai busnes o'r fath yn addas iddo fe wedi iddo roi'r gorau i'r rownd laeth. Yno eto roedd busnes da. Wedi'r cyfan, doedd byddigion Chiswick ddim yn barod i olchi eu dillad mewn twba fel y gwnâi Mam gynt nôl ym Mhantddafad. Roedd y rheiny am ddefnyddio peiriant golchi.

Roedd drws y londrét yn cloi'n otomatig am naw bob nos. Felly, os na fyddech chi allan erbyn naw, fe fyddech chi yno drwy'r nos. Fe lwyddodd y busnes yma eto. Roedd llawer o brofiad busnes yn y teulu. Roedd chwaer R. O. Williams yn fam i 'Nhad, sef Mam-gu. R. O. Williams oedd un o bobl busnes amlycaf ardal Tregaron.

Fe aeth 'Nhad ymlaen i brynu busnes yn Harlesden. Siop hunanwasanaeth oedd y busnes hwnnw. Roedd y siop yng nghanol man prysur iawn. Yn ymyl roedd ffatri Walls, lle roedd dwsenni o weithwyr. Fe fydde rheiny'n galw i mewn byth a hefyd.

Fe fyddai'r Cardis alltud yn cwrdd yn rheolaidd yn y capel ar ddydd Sul, ac yn arbennig yn y cyfarfod wedi'r oedfa dros baned o de yn y festri. Byddai'r aelodau yn Jewin, y capel lle roedden ni'n aelodau, yn cymryd eu tro i baratoi'r te ac yno y byddai pawb yn dal fyny â hanesion wythnosol o'r hen sir. Y gweinidog oedd y Parchedig D. S. Owen. Fe fyddwn i'n mynychu'r oedfaon yn weddol reolaidd, ond nid bob dydd Sul. Fe gawn i a'm mrawd un dydd Sul y mis yn rhydd.

Ar y Suliau pan na fyddwn i a 'mrawd yn mynd i Jewin fe fydden ni'n mynd ar y tram dau ddec o gwmpas Llundain ar docyn dydd a gostiai chwe cheiniog. Fe fyddai mam yn paratoi pecyn o fwyd, neu docyn i ni. Roedden ni wrth ein bodd ac roedd hon yn ffordd berffaith o ddod i adnabod y ddinas.

Rwy'n cofio'r holl weithgareddau oedd yn gysylltiedig â Jewin. Rwy'n cofio cystadlu yn y gwahanol eisteddfodau. Fy nhad wnâi fy nysgu i adrodd. Fe wnes i adrodd ar lwyfan Neuadd y Dref Shoreditch, ac ennill hefyd. Bob nos Sul byddai cyngherddau yn y ganolfan Gymraeg yn Gray's Inn Road. Ac yna pryd o fwyd yn Lyons Corner House, un o ganolfannau bwyta mwyaf poblogaidd y Cymry yn Llundain. Dim ond chweugain, neu ddeg swllt mewn hen arian, fyddai pris y ddau bryd gyda'i gilydd. Roedd yno lond bol i'w gael yno. Rwy'n cofio Dic, brawd Mam yn dweud y byddai e a Tom Penlan, ei gefnder, yn bwyta hwyaden gyfan yr un yno. Roedd maint eu boliau nhw'n dangos eu bod nhw'n fwytawyr mawr!

Roedd fy nhad yn hoff iawn o ganu. Roedd e'n
ganwr arbennig o dda ac yn godwr canu nôl ym
Mronnant. Un o blant Navy Hall oedd e. Roedd e'n
hoffi actio hefyd a byddai'n ymddangos mewn
dramâu a gâi eu cynhyrchu gan y gweinidog, D. S.
Owen. Dramâu Cymraeg, wrth gwrs. Roedd D. S.
Owen yn briod â merch Willie Evans a oedd yn cadw
siop a chaffi bach yn St John's Street.

Rwy'n cofio tyrfa fawr yn mynychu Capel Jewin.
Yn eu plith roedd Evan Evans, perchennog y Celtic
Hotel yn Russell Square. Roedd e hefyd yn rhedeg
fflyd o fysys. Fe fu e'n Faer St Pancras ddwywaith
adeg y rhyfel. Roedd Nans ei wraig yn perthyn i'n
teulu ni. Fe briododd y mab, Dafydd Gwyn â
Rhiannon, sy'n cadw'r siop enwog o'r un enw yn
Nhregaron. Mae'r siop, gyda llaw wedi ei sefydlu yn
hen siop yr Emporium oedd yn perthyn i R. O.
Williams, y cyfeiriais ato'n gynharach.

Gartref gyda fy rhieni fues i'n gweithio nes i mi
briodi. Ffermwr o Benuwch oedd y gŵr, Tom ac
wedi'r briodas yn Jewin, fe symudodd yntau i
Lundain. Fe brynodd y ddau ohonon ni siop yn Stoke
Newington rhwng Islington a Hackney yn gwerthu
nwyddau yn cynnwys llaeth, wrth gwrs. Roedd
ganddon ni rownd leol. Fe fu'r fenter yn llwyddiant
mawr. Cert neu ferfa oedd ganddon ni fel yn hanes
'Nhad. Doedd dim enw'r teulu ar y gart dim ond rhif
sef 102 Matthias Road, Stoke Newington E. Yn 129
Central Street oedd busnes llaeth 'Nhad a Mam.

Roedd Dic, brawd mam yn gweithio i'r Independent
Milk Supplies. Roedd e'n cario llaeth mewn caniau
mawr yn ei drap a phoni i'r Ddinas. Un dydd tra roedd
e mewn caffi roedd yna blant yn chwarae o gwmpas y
cert a'r poni. Ac fe ddigwyddodd trychineb. Fe

dynnodd y poni fach y trap dros ben un o'r merched bach a'i lladd. Fu Dic byth yr un peth wedyn. Fe ddioddefodd o atal dweud am weddill ei fywyd.

Er gwaethaf dylanwad Jewin fe fyddai'r siop yn agored ar fore dydd Sul, ond yn cau am un. O ran fy rhieni byddai'r siop yn agor yn ddyddiol am saith. Nid oedd yn cau tan chwech. Roedd Tom a finne'n dilyn bron iawn yr un patrwm, agor am saith a byddem yn aros yn agored am ddeuddeg awr. Dydd Sul byddem yn agor am naw a chau am hanner dydd. Fe neilltuem y prynhawniau Sul i fynd drwy'r llyfrau a chyfri'r stoc.

Dydd Iau oedd fy hoff ddiwrnod. Fe fyddwn i'n gorffen mynd drwy'r archebion tuag un o'r gloch. Yna bant â fi i Oxford Street a'i holl siopau fel D. H. Evans a Selfridges. Fe fyddwn i'n dod i lawr ar hyd Tottenham Court Road a mynd i fyny at Marble Arch. Croesi yno a dod yn ôl wedyn ar hyd yr ochr draw hyd at Tottenham Court Road eto. Yna cwrdd â Tom yn Lyons Corner House am wyth. Byddem yn talu hanner coron am dacsi adre. Roedd bwyd a byw yn rhad yn Llundain bryd hynny.

'Doeddwn i ddim am adael Llundain. Ond o ganlyniad i ail-adeiladu'r ddinas wedi llanast y rhyfel cymerwyd y siop drwy orchymyn gorfodol a dychwelodd y ddau ohonon ni i Fronnant yn 1972 ar ôl treulio dros hanner canrif hapus yn Llundain. Pan glywais fod yn rhaid i ni werthu, fe dorrais i fy nghalon. Fe lefes i am fis.

O leiaf fe ddaethon ni adre o Lundain yn fyw. Fe welais i amryw'n gadael Llundain ar eu ffordd adre i'w claddu. Roedd y mwyafrif, yn enwedig yr hen do, yn dymuno hynny. Byddai trên yn gadael Platfform 1 Gorsaf Paddington am naw, trên ola'r dydd a'r cerbyd yn y cefn, cerbyd y Gârd oedd yn cario'r arch – cerbyd â'i ddrysau'n agored er mwyn i ni gael cyfle i dalu'r gymwynas olaf mewn parch. Yna câi'r drysau eu cau wrth i'r trên dynnu allan yn fwg i gyd. Wedyn fe fyddai'r dorf yn torri allan i ganu emyn fel 'O fryniau Caersalem' neu 'Mae nghyfeillion adre'n myned'. Roedd rheiny'n eiriau cymwys iawn gan mai adre i'w hen gartref fyddai'r ymadawedig yn mynd. Gartre oedd hen sir Aberteifi.

Do, fe dreuliais i hanner canrif hapus iawn yn Llundain. Fe awn i nôl yno fory nesaf petai Tom yn dal gyda fi. Awn, fory nesa.

Recordiwyd atgofion Ann Jones ar dâp ar gyfer fy ymchwil. Mor fyw oedd ei chof nes i mi benderfynu cynnwys yr hanes air am air. Teimlais fod ei disgrifiadau o'i phrofiadau yn Llundain yn crynhoi holl agweddau bywyd y fasnach laeth – teulu'n dianc o galedi economaidd y tyddyn, anfantais y diffyg Saesneg ar y dechrau, y gwaith caled, pwysigrwydd y capel a'r bywyd cymdeithasol Cymraeg, a'r angen i arallgyfeirio. Ac yna gorfod dod adre yn dilyn gwerthu eu busnes drwy orchymyn gorfodol. Gellir dweud mai hanes profiadau Ann Jones yw cnewyllyn y gyfrol hon.

Crefydd, Diwylliant ac Adloniant

Y lle yw Festri Capel y Tabernacl, Aberaeron ar achlysur Arddangosfa Flynyddol Cymdeithas Aberaeron. Yno ymhlith y dorf o ymwelwyr mae dau ŵr canol oed. Sylweddolant eu bod ill dau yn gyn-Gymry o Lundain. Maen nhw'n sgwrsio, yn cyfnewid atgofion ac yna dyma un yn dweud wrth y llall:

> Yn Clapham Junction oeddwn i. I ble oeddech chi'n mynd?

Mae'r llall yn sylweddoli ar unwaith arwyddocâd y cwestiwn ac yn ateb drwy enwi capel Cymraeg arall yn Llundain. Bydd unrhyw sgwrs rhwng pobl sydd â chysylltiad â Llundain yn siŵr o droi yn fuan iawn at gapel neu eglwys, a hynny heb unrhyw anogaeth.

Mae digwyddiad fel yr uchod yn crisialu dylanwad y capel – neu, i raddau llai, yr eglwys – ar fywyd y Cymry yn Llundain pan oedd y fasnach laeth ar ei hanterth. Mae'n rhaid bod y sefyllfa'n unigryw – prin iawn, os o gwbl, y ceid sefyllfa o'r fath mewn unrhyw gymdeithas arall. Roedd aelodaeth o gapel neu eglwys yn ofynnol; câi pob enwad ei gynrychioli yn y brifddinas, gymaint ag a geid mewn unrhyw dref neu bentref yng Nghymru. Ac os oedd hynny'n bosibl, glynai'r mewnfudwyr yn glòs wrth yr enwad a fynychid yng Nghymru. Byddai llythyr cais am aelodaeth yn cael ei anfon at gapel addas yn union wedi i'r alltud newydd adael Cymru.

Yn 1912 cyhoeddwyd yr adroddiad *The Welsh National Bazaar in Aid of the London C. M. Churches*. Trefnwyd y 'bazaar' – rhyw fath ar fenter marchnad ar y cyd, fel modd i gael yr eglwysi Cymraeg yn y ddinas i ddod at ei gilydd a chydweithio. Un o symbylwyr y fenter oedd Margaret, gwraig Lloyd George – roedd ei gŵr yn Ganghellor y

Trysorlys ar y pryd. Yn y gyfrol *The Welsh in London 1400–2000* a olygwyd gan yr Athro Emrys Jones, mae Rhidian Griffiths yn cyfeirio at ran o'r adroddiad. Dywed fod yr addoldai Cymraeg wedi eu sefydlu ar gyfer darparu gwasanaeth Cymraeg i lawer o bobl a welent yr iaith Saesneg fel rhywbeth dieithr.

> Yn bennaf maent yn sefydliadau crefyddol ac mae'r gwaith a gyflawnant yn y maes hwn yn anfesuradwy. Ond ar hyn o bryd, gyda'u swyddogaethau crefyddol yn unig, fe wna'r eglwysi waith anferth o ran swyddogaethau cymdeithasol a chenedlaethol hefyd. Fe wnaethant ddarparu ar gyfer y dyn ifanc a'r fenyw ifanc a ddaw i Lundain o Gymru rywbeth mwy na chysgod o'u cartrefi gan eu bod nhw'n creu cymdeithas sydd, o ran ei safonau bywyd ac ymddygiad gyda llawer sy'n gyffredin â'r bywyd pentrefol yng Nghymru gan greu cyswllt drwy hynny ag amodau cynharach o fywyd â'i gwna hi'n anodd i ieuenctid ruthro'n bendramwnwgl i'r peryglon sy'n rhemp yn y trefi mawr. Prif genhadaeth yr Eglwysi Cymraeg yn Llundain yw amddiffyn y cymeriad moesol ac i ddyfnhau profiad ysbrydol cannoedd o bobl ifanc a ymddiriedwyd i'w gofal flwyddyn ar ôl blwyddyn gan rieni Cymru. Ni fradychwyd erioed yr ymddiriedaeth sy'n cynnwys llawer o waith, aberth a chariad a roddwyd o wirfodd.

Fe wnâi mynychu addoldy greu'r atgof o ran o'r hyn a adawyd ar ôl yng Nghymru. Dyma fyddai ffynhonnell eu diwylliant, gwrthglawdd yn erbyn poen a brathiad 'hiraeth'. Gellid mynnu bod capel neu eglwys yn ateb yr angen ymhlith y boblogaeth ymfudol hon am sicrwydd, yn gyfnewid am y gymdeithas y bu'n rhaid cefnu arni.

Elfed, sef y Parchedig H. Elvet Lewis,
Archdderwydd a gweinidog eglwys y
Tabernacl, King's Cross 1904-40

Rhaglen Eisteddfod Jewin yn Neuadd
Shoreditch yn 1932

Cinio i ddathlu Gŵyl Ddewi yn y capel yn ôl yn y pum degau

Yn ôl Emrys Jones, roedd gwaith caled yn ganolog i'r athroniaeth Galfinistaidd. Ond ar ddydd Sul, gwisgid y 'dillad parch'. Yn ei gyfrol *Y Ddinas Gadarn: Hanes Eglwys Jewin* mae Gomer M. Roberts yn cynnwys llythyr gan bregethwr o'r enw Robert Hughes yn 1830 am ei argraffiadau o addolwyr Jewin:

> Cynulleidfa o foneddigion ... Ond yr oedd un yn tynnu fy sylw yn fwy na phawb arall – gŵr boneddigaidd yr olwg, tua phump a deugain, yn eistedd tu ôl i'r cloc, ar ffrynt y gallery. Tybiwn ei fod yn un o'r East India Company; ond fe'm siomwyd yn fawr wrth fynd i'r Cambrian i'r ysgol brynhawn Sul; pwy a welwn yng nghanol y ddinas, a ffedog las ar ei liniau, a'r piser llefrith yn ei law, yn rhoi cnoc ar y drws ac yn gweiddi 'Milk', ond y gŵr bonheddig mawr yn ôl fy nychymyg i am dano o'r blaen.

Jewin oedd yr eglwys Fethodistaidd hynaf ac amlycaf. Disgrifiwyd y gynulleidfa yno gan yr Athro Dafydd Jenkins, a ddyfynnir gan T. I. Ellis fel:

> Pobl llaeth, Cardis bron bob un.

Ar eu hanterth roedd capeli'r Cymry yn Llundain yn medru brolio rhai o weinidogion mwyaf carismataidd y genedl. Gweinidog y Tabernacl, King's Cross o 1904 hyd 1940 oedd H. Elvet Lewis (Elfed), un o'n prif emynwyr. Bu'n Archdderwydd Cymru o 1904 hyd 1908. Byddai bron yn gystadleuaeth rhwng yr addoldai pa un wnâi ddenu hufen y gymuned Gymraeg a Chymreig, meddai Dafydd Jenkins.. Pan sefydlwyd Richard Owen yn weinidog Capel Holloway yn 1887 roedd tri Aelod Seneddol Cymreig yn bresennol sef T. E. Ellis, Thomas Lewis a Mabon. Aelod amlwg o Gapel

Methodistaidd Shirland Road a agorwyd yn 1871 oedd William Price, y cyfeiriwyd ato eisoes, a fu'n allweddol yn yr ymgyrch i godi'r adeilad.

Mae Cangen Llundain o'r Cymdeithasau Hanes Teuluoedd Cymreig wedi gwneud gwaith gwerthfawr yn cofnodi hanes y capeli a'r eglwysi Cymraeg yn Llundain. Casglwyd a chofnodwyd lleoliadau'r mannau addoli, o'r cynharaf yn Cock Lane, Smithfield a sefydlwyd yn 1774, ymlaen. Mae'r cofnodion hyn yn cynnwys addoldai a gaewyd, a unwyd neu a adleolwyd. Rhwng popeth, gan gynnwys amrywiol gyfnodau o fodolaeth, cofnodwyd cyfanswm o

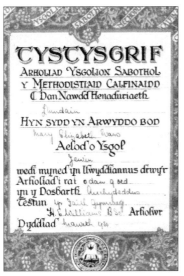

Tystysgrif llwyddiant arholiad Ysgol Sul a enillwyd gan Mary Elizabeth Evans cyn yr edwino yn hanes yr addoldai

bedwar ar hugain capel Calfinaidd, chwe Methodist Wesleaidd, tri ar ddeg Annibynnol, dau addoldy'r Bedyddwyr, chwe Eglwys Anglicanaidd a dwy eglwys ryngwladol oedd yn sefydliadau Cymraeg yn hanes y ddinas.

Caniatawyd i mi ddefnyddio a didoli ystadegau bedyddiadau yng Nghapel Jewin yn ystod y cyfnod 1838–1939 o'r coflyfrau sy'n dal ym meddiant y capel. Mae'r cofnodion a nodwyd, yn ôl arferiad y cyfnod, yn cynnwys enwau bedydd y plant a'u rhieni, cyfeiriadau a gwaith y tadau. Ar unwaith caiff rhywun ei synnu gan niferoedd y llaethwyr a'r ceidwaid gwartheg.

Mae modd mynegi'r ystadegau sy'n berthnasol i fedyddiadau mewn dull graffig. Drwy wneud hynny, gwelir dosbarthiad cymdeithasol diddorol.

Gellir priodoli'r rheswm dros barhad y lefel isel o

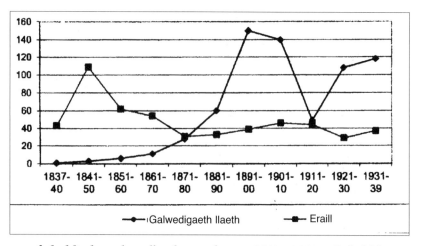

fedyddiadau plant llaethwyr rhwng 1837–1851 i Ddeddf
Elias. Yn ystod tri degau'r bedwaredd ganrif ar bymtheg,
meddai Gomer M. Roberts yn ei gyfrol ar hanes Capel
Jewin, ofnai llawer o grefyddwyr fod y Sabath mewn perygl
enbyd. Cychwynnwyd ymgyrch felly i adfer i'r Sul ei
gysegredigrwydd cyntefig. Fe ddeddfodd John Elias, aelod
blaenllaw o'r clerigwyr Calfinaidd, 'na ddylai plant sydd â'u
rhieni wedi torri deddf y Sabath drwy weithio ar y diwrnod
hwnnw gael eu plant wedi eu bedyddio yn yr eglwys.' Daeth
y Ddeddf hon i fodolaeth yn 1835. Gan fod rheidrwydd ar
laethwyr i weithio ar y Sabath, golygai bod yn rhaid iddynt
fynd at gapeli oedd yn fodlon bedyddio'u plant. Nid yw'n
glir pwy'n union oedd y bobl hyn. Gellir derbyn fod y
ddeddf wedi'i llacio ar ôl 1851, pan welwn fod nifer
bedyddiadau plant llaethwyr wedi codi'n sylweddol.

Gwelir lleihad sydyn mewn bedyddiadau plant llaethwyr
yn ystod y cyfnod 1911–1920, cyfnod sy'n cynnwys, wrth
gwrs, flynyddoedd y Rhyfel Byd Cyntaf. Gellir priodoli hyn
mae'n bur debyg i'r nifer o laethwyr a listiodd adeg y rhyfel
o 1914 ymlaen. Cadarnheir hyn gan y ffaith fod llawer o
fenywod o Gymru wedi mynd i Lundain i helpu eu

teuluoedd gyda'r fasnach laeth fel y gwnaethpwyd yn ystod yr Ail Ryfel Byd.

Ceir dau uchafbwynt yn yr ystadegau sy'n cofnodi cyfanswm y bedyddiadau blynyddol – diwedd/dechrau'r ugeinfed ganrif a thri degau cynnar yr ugeinfed ganrif. Gellir priodoli'r rhain i'r cwymp cyffredinol mewn cyfleoedd cyflogaeth i'r Cymry adref yn eu gwlad eu hunain. Bu cynnydd ym masnach laeth y Cymry yn Llundain pan oedd diweithdra cefn gwlad ar ei waethaf a phobl ifanc yn cael eu gorfodi i chwilio am waith amgen i waith amaethyddol neu grefftau gwledig gan ddilyn, o bosib, berthnasau oedd eisoes wedi ymsefydlu yn y busnes llaeth.

Wrth i'r mudo o Gymru i Lundain gynyddu, felly hefyd y gwnaeth aelodaeth capeli'r ddinas. Caiff hyn ei adlewyrchu'n ddramatig yn ystadegau aelodaeth Capel y Tabernacl, King's Cross. Cyrhaeddodd ei uchafbwynt yn 1925–1938 gan fynd mor uchel ag oddeutu'r mil. Roedd hwn yn gyfnod pan fyddai'n rhaid cyrraedd yn gynnar er mwyn sicrhau lle i eistedd ar gyfer y gwasanaeth 6.30 yr hwyr. Ond yna canfyddir cwymp rheolaidd drwy gydol ail hanner yr ugeinfed ganrif (280 yn 1970) a arweiniodd yn y diwedd at ddod â'r achos i ben yn gynnar yn yr unfed ganrif ar hugain.

Ond os oedd gwasanaethau bore Sul yn creu dilema o ran gweithio i'r llaethwyr a'u teuluoedd, byddai cyfarfodydd y nos yn orlawn. Yn y prynhawn, y prif ffocws oedd yr Ysgol Sul i'r plant a byddai cynulleidfa o drigain o blant yn rhywbeth digon cyffredin. Câi'r plant eu cludo yno gan eu rhieni a'u gadael yno am y prynhawn. Fel rhan o'r gwasanaeth ceid ymarferiadau ar gyfer y Cwrdd Plant neu ymarferiadau ar gyfer yr arholiad ysgrythurol i'r plant hŷn. Paratowyd te iddynt gan y gwragedd, ac roedd hynny i amryw ohonynt yn uchafbwynt y Sul. Câi'r plant wedyn eu casglu gan eu rhieni wrth i'r rheiny ddod i wasanaeth yr hwyr.

Ond fyddai diwedd gwasanaeth yr hwyr ddim yn nodi amser mynd adre. Byddai te yn dilyn yn y festri a byddai'r aelodau'n oedi neu'n ymgasglu ar y palmant y tu allan i drafod newyddion o 'gartref' neu drafod busnes y farchnad laeth – pwy oedd yn gwerthu hyn a hyn o alwyni, pa fusnes oedd ar fin dod ar y farchnad. Yr hyn a geid oedd sgwrsio ymysg aelodau cymuned oedd yn rhannu cyd-ddiddordebau a phroblemau oedd yn gyffredin iddynt. Câi'r cynulliadau hyn eu galw'n 'Ffair Jewin'. Yna, Lyons Corner House amdani am bryd o fwyd neu i Hyde Park i ymuno yn y canu emynau Cymraeg awyr agored.

Roedd ffyddlondeb enwadol yn bwysig. Roedd Eluned Jones a'i rhieni'n byw yn ardal Tottenham. Ond er bod Capel Holloway gerllaw, fe aent fel Annibynwyr pybyr i Gapel King's Cross, taith hir ar fws troli rhif 659.

Cofiai Gareth Davies yn gynnes am yr Ysgol Sul a'r gwahanol dripiau ar y Llungwyn. Cynhelid eisteddfodau yng Nghanolfan y Cymry yn Llundain yn Gray's Inn Road ynghyd â dawnsfeydd a gwahanol weithgareddau cymdeithasol. Edrychai ymlaen at y tripiau Ysgol Sul bob Llungwyn a'r cyngherddau Nadolig yng Nghanolfan y Cymry. Cofiai hefyd gyfarfodydd y cymdeithasau siriol fel siroedd Aberteifi, Caerfyrddin a Morgannwg.

O'r holl weithgareddau cymdeithasol Cymraeg i'w trawsblannu yn Llundain, yr eisteddfod oedd yr enghraifft fwyaf poblogaidd. Erbyn diwedd y bedwaredd ganrif ar bymtheg roedd eisteddfodau wedi eu hen sefydlu yn Llundain, y mwyafrif mawr yn eisteddfodau enwadol. Prin y byddai unrhyw addoldy heb ei eisteddfod neu ei gwrdd cystadleuol. A does yna fawr o amheuaeth nad oedd teuluoedd masnachwyr llaeth wedi chwarae rhan flaenllaw ynddynt. Fe gynhaliwyd dwy Eisteddfod Genedlaethol yn Llundain, yn 1887 ac yn 1901. Parhaodd yr eisteddfod i fod yn rhan anhepgor o fywyd y Cymry yn y brifddinas am y

rhan helaethaf o'r ugeinfed ganrif.

Yn 1932 trefnodd Jewin eisteddfod fawr yn Neuadd y Dref, Shoreditch. Trefnwyd rhaglen gynhwysfawr yn cynnwys nid yn unig y cystadlaethau traddodiadol arferol ond hefyd gystadlaethau cyfieithu o'r Gymraeg i'r Ffrangeg.

Darparodd yr addoldai nid yn unig y cefndir moesol neu foesegol ar gyfer y bywyd newydd ond roedden nhw – ac mae'r rhai sy'n weddill hyd heddiw – yn ganolbwynt bywyd cymdeithasol a deallusol y gymuned Gymraeg a Chymreig. Bu gan y Tabernacl erioed gysylltiad diwylliannol cryf drwy areithiau gan Aelodau Seneddol yn cynnwys Lloyd George ac eraill o gyffelyb safle. Bu'r cwmni drama'n cystadlu am flynyddoedd yn yr Eisteddfod Genedlaethol. Enillodd Cwmni Drama'r Boro, dan arweiniad Byron Jones, y wobr gyntaf yn ei adran yn Eisteddfod Genedlaethol Llangefni yn y tri degau. Roedd yna ddramâu'r Geni ac eisteddfodau ac mewn meysydd ysgafnach ceid cystadlaethau tenis bwrdd a thripiau Ysgol Sul traddodiadol.

Cynhelid pob math o ddigwyddiadau cymdeithasol, yn cynnwys dawnsfeydd yng Nghlwb y Cymry yn Llundain, ynghyd â chynnal corau – meibion a chymysg – sy'n parhau hyd heddiw. Sefydlwyd y Ganolfan yn 1930, yn bennaf fel man cyfarfod i'r Cymry alltud, beth bynnag eu proffesiwn. Erbyn hynny, wrth gwrs, roedd y fasnach laeth Gymreig wedi ei hen sefydlu ond daeth y Ganolfan, ochr yn ochr â'r addoldai yn ganolbwynt i ddigwyddiadau cymdeithasol i'r gymuned laeth fel pawb arall o'r Cymry alltud.

Anodd gorbwysleisio'r dylanwad a'r brwdfrydedd dros

weithgareddau cymdeithasol a drefnwyd gan yr addoldai a chan Ganolfan y Cymry yn Llundain. Yng ngeiriau un mynychwr nodweddiadol fe wnaethant greu cyfeillgarwch ymhlith ffrindiau sy'n para hyd heddiw. Dyma, yn ôl rhai, y biwro priodasol mwyaf llwyddiannus erioed!

Mae'r cymdeithasau diwylliannol a oedd yn ffynnu cyn yr Ail Ryfel Byd yn parhau o hyd gan ddilyn yr un arferion ymhlith addoldai yng Nghymru heddiw. Roedd gan gapel Falmouth Road raglen yn 1951 (a gostiai swllt am y daflen) yn agor gyda noson lawen, a rhaglen lawn yn dilyn yn cynnwys dramâu, eisteddfodau ac ati. Ceid gweithgareddau tebyg mewn capeli eraill, rhai sy'n parhau hyd heddiw. Roedd rhaglen cymdeithas Capel Harrow 2012–2013 yn cynnwys sgwrs ar gydweithio â'r NSPCC a Chenhadaeth y Morwyr. Ac, wrth gwrs, fe gynhelid gweithgareddau Gŵyl Ddewi yn cynnwys ymweliadau gan gorau meibion o Gymru. Yn 1983 fe wahoddodd Capel Jewin y rhaglen 'Caniadaeth y Cysegr' i'w recordio yno, fel y gwnaeth Capel y Boro yn 2013.

Byddai alltudion o Gymru, pan ddychwelent adref, yn amharod i hepgor y bywyd cymdeithasol a oedd yn nodwedd mor bwysig o fywyd yn y brifddinas. Roedd Cymdeithas Cymry Llundain Aberystwyth yn dal i gynnal cinio blynyddol hyd yn ddiweddar, yn cynnwys y llwncdestunau traddodiadol ac eitemau cerddorol. Diddymwyd y gangen yn 2013 ond mae Cymdeithas Ceredigion o'r Cymry yn Llundain yn dal yn fyw ac yn iach gan gyfarfod yn rheolaidd yng Nghanolfan y Cymry yn Llundain.

Yn yr un modd, byddai pobl oedd yn dal i fyw yn Llundain, ond ar eu gwyliau yng Nghymru, yn dymuno cyfarfod â hen ffrindiau. Y mwyaf cyfleus i wneud hynny wrth gwrs oedd yn y capel lleol. Gall Ieuan Parry o Flaenplwyf gofio hanesyn am wasanaeth yng Nghapel Tabor, Llangwyryfon pan wnaeth un o'r diaconiaid gyfrif y 'dychweledigion' hyn yn eu dwsinau.

Roedd yna agweddau eraill i'r bywyd cymdeithasol yn Llundain, er enghraifft y cysylltiad rhwng cantorion sir Aberteifi a'r fasnach laeth. Digon yma yw dyfynnu toriad o bapur newydd nôl yn y tri degau gan un sy'n galw'i hun yn 'M.E.':

> Y mae yna gysylltiad hir rhwng cantorion sir Aberteifi a'r fasnach laeth yn Llundain. Fe wnaeth amryw ohonynt dreulio'u hamser yn gwerthu llaeth ar hyd strydoedd Llundain. Y diweddaraf yw Edgar Evans o Gwrtnewydd, sydd ar hyn o bryd yn canu'r brif ran gyda Chwmni Opera Covent Garden. Cyn hynny bu Roscoe Lloyd, Llanwenog a David Evans o Bonterwyd. Mae David bellach yn byw yn y Deva ar Bromenâd Aberystwyth. Mae ei lais yn dal yn driw ag yntau'n 80 oed. Mae ei glywed yn canu 'Dafydd y Garreg Wen' yn brofiad cerddorol. Adroddodd wrtha'i ddigwyddiad doniol ar ddechrau ei yrfa gerddorol pan oedd e'n canu yn un o neuaddau Llundain. Yn sydyn, allan o'r tywyllwch cododd llais ifanc: 'Cor, Bill, there's our milkie!' Roedd rhyw lanc wedi adnabod y David Evans ifanc fel eu dyn llaeth.

Ar wahân i'r aelwyd, y capel oedd cadarnle'r Gymraeg. Ac wrth i'r nifer o addoldai Cymraeg brinhau o ganlyniad i golli aelodau, mabwysiadodd yr adeiladau a wacawyd swyddogaethau newydd. Dros dreigl y blynyddoedd gwelwyd aml i addoldy'n uno neu'n cau wrth i gynulleidfaoedd edwino. Heddiw erys chwe addoldy Methodistaidd Calfinaidd, pedwar Annibynnol, dwy eglwys Anglicanaidd a dim un addoldy Wesleaidd. Bu Castle Street yn glwb nos yn yr wyth degau cyn troi'n dafarn 'Walkabout' Awstralaidd yn 2003. Gwerthwyd y Tabernacl yn King's Cross i'r Frawdoliaeth Gristnogol Ethiopaidd. Trodd Capel Willsden Green yn Deml y Gwir Fwda. Mae Capel

Falmouth Road yn gartref i'r Eglwys Nigeraidd. Fel y digwyddodd gynt gyda'r Cymry, cymerwyd y lle drosodd gan grwpiau o fewnfudwyr oedd yn awyddus i sicrhau canolfan gymunedol ar gyfer addoli yn ôl eu harferion a'u hiaith eu hunain.

Gellir ystyried dirywiad capeli Cymraeg Llundain drwy eu cymharu â'r rheswm dros eu bodolaeth cynnar fel y nodwyd ar ddechrau'r bennod hon, sef eu bod yn gweithredu fel darnau o fframwaith ar gyfer darparu canllawiau moesol i bobl ifanc, sef ffocws o addoliad mewn amgylchedd newydd a dieithr.

Bydd 'mewnfudwyr' heddiw'n cyrraedd gyda mwy o soffistigeiddrwydd a mwy o hunanhyder na'u hynafiaid, ac felly heb deimlo'r angen am gynefin cymdeithasol cyfarwydd. Gall hyn, ynghlwm â'r dirywiad cyffredinol mewn addoliad cyhoeddus fod yn gyfrifol am y sefyllfa bresennol yn Llundain er bod y Parchedig Llewelyn Williams yn ei gyfrol ar hanes Capel y Tabernacl yn datgan:

> Dywedir fod natur galwedigaeth y dyfodiad diweddaraf yn wahanol i'r rhai a lanwent ein capeli Cymraeg o 1870–1920. Daeth dydd y 'combines', a dywedir mai lleihau a wnaeth nifer y llaethwyr unigol – asgwrn cefn ein heglwysi Cymraeg yn Llundain.

Yn eironig, wrth i nifer y llaethwyr edwino, agorwyd Ysgol Gymraeg ddyddiol yn y ddinas yn 1957, ond roedd hyn yn rhy hwyr i blant cenedlaethau o laethwyr. Daeth mewnlifiad arall o Gymry wedi'r rhyfel, sef athrawon ac athrawesau yn syth o'r colegau. Fel y dywedodd yr Athro Emrys Jones:

> Fe wnaeth Cymru allforio athrawon ar raddfa anferth, a bu Cyngor sir Llundain yn gyflogwr hael. Doedd yna'r un ysgol heb fod yna Taff ar y staff – ond stori arall yw honno.

Materion Glastwraidd

Yn nrama Dylan Thomas, *Under Milk Wood* a gyhoeddwyd yn 1954 mae Captain Cat mewn un man yn synfyfyrio wrth wrando ar leisiau a synau tref fach Llaregyb. Yn y cyfieithiad Cymraeg, meddai'r hen gapten dall, ei dafod yn ei foch:

> Wil Llath ar ei rownd. Rhaid gweud hyn, ma'i lath e' fel gwlith o ffresh.

Meddai Wil Llath:

> Gwlith yw ei hanner, w!

Ond mae i'r honiad fod llaeth a werthid ar strydoedd Llundain wedi'i wanhau gan ddŵr le canolog mewn chwedloniaeth Gymreig. Mynych y clywyd yr honiad:

> Yr unig beth a wn i am y Cymry yn Llundain yw eu bod nhw wedi gwneud ffortiwn drwy werthu dŵr ar ben llaeth.

Neu:

> Fyddai neb yn gallach 'tai nhw wedi atodi dŵr.

Ym Mhontrhydfendigaid, y pentref lle'i magwyd, cyfeirir at Syr David James, Pantyfedwen o hyd gan rai fel 'y dyn a wnaeth ffortiwn drwy werthu dŵr yn Llundain'. Mae'n bosibl nad oedd cyfeiriadau fel hyn yn ddim byd mwy na jôc *music hall* yn Llundain neu jôc ar lwyfan Noson Lawen yng Nghymru ond does iddo ddim unrhyw sail, o leiaf ddim yn ystod yr ugeinfed ganrif.

Ysgrifennodd Charles Dickens stori fer yn 1850 gyda'r

teitl: 'The Cow with the Iron Tail.' Y pwmp dan sylw oedd un mewn buarth yn High Holborn ac efallai fod yna sail i'r honiad yn y bedwaredd ganrif ar bymtheg pan oedd glastwreiddio llaeth yn cael ei dderbyn. Fe ddaeth y pwnc yn destun tynnu coes, rhywbeth sy'n para hyd heddiw. Ymhlith yr hanesion cellweirus, er enghraifft, honnir mai Cymro o Glwyd, Syr Huw Myddleton ddaeth â dŵr glân i Lundain ond i Gymry eraill o sir Aberteifi yn y bedwaredd ganrif ar bymtheg a'r ugeinfed ganrif ychwanegu ychydig o laeth ato, a dyma ychwanegu at chwedloniaeth disgrifio'r pwmp ar y clos fel 'y fuwch â'r gynffon haearn'. Dywedir hefyd y byddai llaethwyr yn y bedwaredd ganrif ar bymtheg, er mwyn dangos bod eu llaeth yn ffres, yn arfer ychwanegu dŵr poeth ato er mwyn perswadio'r cwsmer fod gwir yn yr honiad.

Roedd yr amrywiadau mewn safonau llaeth yn y canrifoedd cynnar yn ffaith a gâi ei derbyn. Ymhellach, fe wnaeth yr arferiad o werthu 'llaeth rhydd' ar y stryd, sef codi'r llaeth o'r can â cheg lydan â lletwad, arwain at amrywiadau yng nghyfansoddiad y llaeth, yn dibynnu ar y dulliau o gyflenwi'r llaeth.

Yn ei astudiaeth *The London Welsh Milk Trade 1860–1900*, dywedodd E. H. Wentham fod yna berygl wrth 'werthu'n rhydd' mai'r cwsmer cyntaf gâi'r hufen ac na châi'r cwsmer olaf ddim ond llaeth sgim. Gwellwyd cryn dipyn ar y sefyllfa drwy gael caniau llaeth cloëdig â thapiau ar eu gwaelod. Ond wnaeth hynny ddim ond troi'r broblem ben i waered gyda'r cwsmeriaid cyntaf yn cael y llaeth sgim a'r rhai olaf yn cael yr hufen. Câi'r llaethwyr eu hunain eu plagio gan werthwyr anonest a fyddai'n gwerthu mwy o laeth nag a bennid ar eu cyfer drwy ychwanegu dŵr.

Fe wnaed glastwreiddio llaeth yn drosedd gyfreithiol o dan y Ddeddf Difwyno Bwyd neu Ddiod 1860. Ond ychydig iawn o'r awdurdodau lleol wnaeth weithredu'r pwerau hyn tan iddynt gael eu gorfodi i wneud hynny gan Ddeddf

Y peiriant cyfreithiol olaf ar gyfer cyflenwi llaeth ar ôl cau siop.

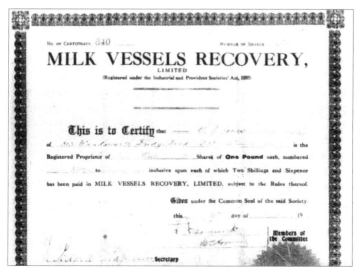

Tystysgrif cyfranddaliad mewn cwmni adfer poteli llaeth.
Ar hon ceir enw O. J. Jones, 313 Wandsworth Road

Llun papur newydd o Swyddog Pwysau a Mesurau yn dadansoddi llaeth ar hap mewn llaethdy.

Difwyno Bwyd a Diod a Chyffuriau 1872. Er y gellid canfod y dulliau amlycaf o lastwreiddio'n hawdd, cafwyd bod glastwreiddio yn rhywbeth haws i'w amau na'i brofi, hynny oherwydd bod cyfansoddiad y llaeth ei hun mor amrywiol.

Doedd atal glastwreiddio yn ddim ond un cam ymlaen at sicrhau llaeth o well ansawdd. Fe ddaeth beudai, canolfannau trin llaeth ac offer a siopau llaeth o dan archwiliadau gwyddonol pan basiwyd Deddf Iechyd Cyhoeddus a Gwerthiant Bwyd a Chyffuriau 1875 a phan gyhoeddwyd rheoliadau o dan y Ddeddf Clefydau Heintus (Anifeiliaid) 1878, roedd y rheiny'n gosod safonau mewn glanweithdra elfennol.

O ganlyniad, fe newidiodd y sefyllfa'n llwyr yn yr ugeinfed ganrif. Roedd safonau iechyd cyhoeddus yn llym a chaent eu gweithredu'r un mor llym. Gellid cymryd poteiaid o laeth i'w harchwilio gan arolygwr ar hap. Câi'r llaeth a gymerid ei rannu'n dair rhan – un i'r llaethwr a dwy ar gyfer eu dadansoddi. Fe wnâi unrhyw dystiolaeth o lastwreiddio neu sgimio arwain at golli cwsmeriaid, ewyllys da ac, o ganlyniad, fywoliaeth.

Er hynny, ac er gwaetha'r sefyllfa gyfreithiol a ddisgrifiwyd uchod – ac oherwydd yr hanes hir o lastwreiddio a chymhlethdod gweithredu'r Ddeddf – mae gan straeon llafar gwlad am lastwreiddio afael sicr yng nghof y bobl. Dyna a wnaeth arwain un gwerthwr llaeth, heb amheuaeth, i argraffu ar ei anfonebau hyd yn hwyr yn y ganrif ddiwethaf:

> Cyflenwadau teuluol yn ddyddiol o Laeth Pur, Newydd. Gwahoddir Dadansoddiadau!

Pam y bu'n rhaid llongyfarch awdur y sgript am beidio gymaint ag unwaith gyfeirio at y posibilrwydd o laeth wedi'i deneuo neu ei lastwreiddio mewn rhaglen ar bwnc y fasnach laeth yn Llundain rywbryd yn ail hanner yr ugeinfed ganrif? I mi, mae cysylltu glastwreiddio llaeth â'r Cymry yn Llundain yn sen, fel y byddai cysylltu pobl o hil arbennig ag osgoi talu'r dreth incwm.

Fe estynnwyd y chwedl mewn dull anffodus yn yr *Aberystwyth Observer* ar 9 Mehefin 1904. Adroddwyd am yr hyn a elwid yn 'sylw sarhaus' gan ynad yn Llundain, rhyw Mr Fordham, a honnodd fod naw o bob deg person a gaent eu gwysio am lastwreiddio llaeth yn Gymry. Dylai gael gwybod ai Cymry'n unig oedd yn glastwreiddio llaeth neu ai Cymry oedd amlycaf yn y fasnach? Fe wnaeth y twrnai oedd yn erlyn gadarnhau ail ran y datganiad. Ond mae'n drist na wnaeth yr adroddiad gynnwys gwrthwynebiad cryfach nac unrhyw ddadansoddiad ystadegol perthnasol.

Mae'n amlwg fod cof gwerin yn un hir a bod problemau gwerthu llaeth y bedwaredd ganrif ar bymtheg yn aros yn hir ym meddwl pobl. Mae'n bosibl iawn y gellid cymharu glastwreiddio llaeth yn yr ugeinfed ganrif â gyrwyr gor-gyflym ein cyfnod ni. Caiff gyrru'n or-gyflym ei ystyried yn aml y tu hwnt i'r gyfraith, a'r posibilrwydd o wynebu llys barn yn cael ei dderbyn.

Bu gan y gyfraith ddiddordeb mewn gweithredu deddfau'n ymwneud â gwerthiant erioed. Ddechrau'r ugeinfed ganrif ni châi siopau ganiatâd i werthu pan oedd siopau'r ardal ar gau, er enghraifft ar brynhawniau Mercher. Clywyd achos llys diddorol a gododd o weithredu Deddf Siopau 1912 pan gafodd cyfreithlondeb peiriant cyflenwi llaeth y tu allan i siop un o Gymry Llundain, Willesden ei herio. Bu anghytuno ymhlith ustusiaid Middlesex a wrthododd y cyhuddiad. Ond fe aeth yr achos ymhellach mewn ymgais i sefydlu a oedd gweithredu'r fath beiriant, er ei fod y tu allan i siop gaëedig, yn gyfreithlon. Gwrthodwyd yr apêl ar y sail fod peiriant tebyg mewn gorsaf drenau gyfagos yn darparu cynsail. Yn sgil hyn fe ddaeth o leiaf un 'fuwch haearn' yn gyfreithlon.

Asgwrn cynnen arall, er na wnaeth ymwneud â'r gyfraith, fu hwnnw parthed poteli llaeth oedd yn mynd ar goll. Byddai gan bob gwerthwr enw'r busnes ar eu poteli. Ond byddai poteli 'strae' gwerthwyr yn sicr o gael eu darganfod ymysg stoc gwerthwyr eraill. Roedd modd yswirio yn erbyn hyn drwy brynu cyfranddaliadau yn y Milk Vessels Recovery Ltd a wnaeth ymgymryd â chasglu a dychwelyd y fath boteli i'w gwir berchnogion. Yn 1929 cofnodwyd Mr O. J. Jones, 313 Wandsworth Bridge Road fel Perchennog Cofrestredig un cyfranddaliad gwerth punt yn y cwmni.

Cofia Gwyn Pickering, sy'n dal i fyw yn Llundain, am hanes ffrind a oedd wedi cael ei rybuddio droeon gan yr heddlu am olchi ei gert llaeth yn y stryd. Roedd hyn yn groes i un o is-ddeddfau Cyngor Westminster. Gan iddo anwybyddu'r rhybuddion mor aml fe'i gwysiwyd i ymddangos o flaen Llys Ynadon Marylebone. Pan ofynnwyd iddo pam y mynnai olchi ei gert ar y stryd yn hytrach nag yn ei iard, ei ateb oedd:

Fe fyddai'n haws i fi roi'r iard yn y gert na rhoi'r gert yn yr iard.

Gollyngwyd y cyhuddiad yn ei erbyn. Onid yw'n drueni nad yw comedïwyr honedig y llwyfan heddiw yn medru bod mor ddoniol â'r dyn llaeth hwnnw o Soho?

Cysgod y Rhyfel

Fe effeithiodd y ddau ryfel byd ar bawb yn Ewrop a thu hwnt. Ond yma rhaid cyfyngu'r darlun i'r effaith ar y diwydiant llaeth a'r rhai oedd yn dibynnu ar y diwydiant hwnnw yn Llundain.

Erbyn heddiw, bratiog iawn yw'r darlun o effaith y Rhyfel Byd Cyntaf ar Lundain. Cawn hanesion niferus am Gymry'n ymweld â theulu a ffrindiau yno ond yn prysuro i ddychwelyd adre'n gynt na'r disgwyl oherwydd effaith y Zeppelins, sef llongau awyr yr Almaen.

Roedd yr Ail Ryfel Byd yn stori wahanol. Anfonwyd cannoedd o blant i ddiogelwch ardaloedd gwledig, llawer ohonynt i Gymru. Roedd gan lawer o'r rhain, plant y llaethwyr, y fantais o fynd at berthnasau – byddent eisoes yn gyfarwydd â mynd at berthnasau yng Nghymru ar eu gwyliau.

Ond pan ddigwyddodd yr anochel, anfonwyd plant at ddiogelwch eu perthnasau am weddill y rhyfel. Yn eu plith roedd Johnny Lewis a anfonwyd i Ddihewyd. Anfonwyd Glanville ac Emlyn Davies, plant Jack Davies o Lynarthen, a dau fab Jack Davies a'i wraig Sally o'u siop a llaethdy yn Islip Street yn Kentish Town i Gastell-nedd. I Lanfihangel-y-Creuddyn yr anfonwyd Marjorie Hughes ac anfonwyd Betty Evans i'r Felinfach. Nid yw'r rhain ond rhai enghreifftiau o'r plant a dreuliodd gyfnodau hir ymhell oddi wrth eu rhieni, ond yn ddiogel.

Cychwynnodd y cyrchoedd o ddifrif ar Lundain ar 7 Medi 1940 a dilynwyd hyn gan flynyddoedd o fomio'r ddinas. Un o'r adeiladau i ddioddef ar ddiwedd 1940 oedd Capel Jewin. Llaciodd y bomio wrth i awyrennau'r Almaen gael eu dargyfeirio i'r Ffrynt Dwyreiniol. Roedd y gwaethaf drosodd. Ond ar ddiwedd y rhyfel anfonwyd y rocedi V1 a V2 dinistriol.

Un a dreuliodd flynyddoedd y rhyfel yn Llundain oedd Dewi Morgan o Fethania, y cyfeiriwyd ato eisoes. Methodd brawf meddygol ddwywaith ac fe'i gwrthodwyd fel milwr. Ond â'r farchnad ar ei hisaf, mentrodd brynu busnes J. J. Jones a'i Feibion yn Wick Road ym mis Chwefror 1944. Mewn erthygl yn y *Cambrian News* ar 24 Ebrill 1987 dywedodd:

> Bu'n anodd iawn ar y cychwyn. Oherwydd all-lifiad yr ifaciwîs a difrod i gartrefi roedden ni lawr i ddeg galwyn y dydd o werthiant. Yna fe benderfynodd y Cyngor godi cannoedd o dai parod, neu 'prefabs' wedi'r rhyfel a phan werthon ni'r busnes yn 1953 roedden ni'n gwerthu 1,000 o alwyni'r dydd.

Yn y cyfamser, effeithiwyd ar bob agwedd o fywyd a gwaith yn Llundain gan y rhyfel. Cyn y rhyfel, bwriad y llaethwyr oedd ateb gofynion cymaint o gartrefi a phosibl drwy ddanfon at y drws. Roedd i hyn fwriad deublyg – ychwanegu at yr ewyllys da a thrwy hynny gynyddu gwerth y busnes. Petai modd cyrraedd cartref ar feic, dyna gwsmer posibl arall, a thrwy hynny enillion ariannol. Canlyniad hynny, yn y cyfnod cyn y rhyfel, oedd y gallai unrhyw ardal wasgaredig gael ei chyflenwi gan unrhyw un o blith nifer o laethdai, gydag unrhyw stryd yn medru derbyn ei chyflenwad gan nifer o laethdai gwahanol. Roedd hyn yn arwain at adeiladu busnes drwy ddulliau aneconomaidd.

Yn eironig, fe ddarparwyd ateb gan wasgfa'r rhyfel. A'r ateb oedd creu parthau, neu flocio. Gwelwyd ailstrwythuro dalgylchoedd cyflenwi llaeth gan bwyllgorau lleol. Y canlyniad fu tocio ar weithgarwch llaethdy unigol drwy ganiatáu iddo weini llaeth mewn ardal gyfyngedig yn unig. Ond gofalai'r ail-ddosrannu hyn bennu cyfanswm galwynol a diogelid gwerth pob busnes unigol. Croesawyd y trefniant hwn fel un rhesymol. Er hynny, eithriwyd y *Co-op* o'r trefniant. Roedd bonws y 'divi' i gwsmeriaid yn ormod o demtasiwn. Fe arweiniodd y mesurau newydd at gwtogi nifer y rowndiau llaeth gan ryddhau dynion ar gyfer ymuno â'r lluoedd arfog.

Golygai dogni bwyd y byddai'n rheidrwydd ar bawb i gofrestru gyda siop benodol gan gyfnewid cwponau am wahanol nwyddau. Dim ond yn y siop honno y byddai caniatâd i brynu gan na fyddai'r Swyddfa Fwyd yn awdurdodi ond yr hyn fyddai'n ddigonol o nwyddau ar gyfer y rhai fyddai wedi cofrestru – ynghyd ag ychydig dros ben ar gyfer milwyr fyddai adre o'r fyddin.

Ar wahân i greu parthau a dogni, y nodwedd amlycaf o fywyd y llaethwyr fyddai sicrhau'r traddodiad o barhad y gwasanaeth i'r cwsmer. Os medrai'r cyfanwerthwr gyflenwi'r llaeth i'r llaethwyr, yna roedd ymrwymiad gan y llaethwyr i gyflenwi'r cynnyrch i'r cwsmeriaid, deued a ddelo. Beth bynnag fyddai effaith y rhyfel ar fywyd bob dydd, gwelai'r llaethwyr hi'n ddyletswydd i sicrhau y câi'r poteli llawn eu gadael ar bob trothwy.

Roedd gan Dan Davies a'i wraig Getta o Gwmtydu laethdy yn Tottenham Street. Treulient bob nos yn cysgodi rhag y bomiau yng ngorsaf danddaearol Goodge Street gan ddefnyddio'r bagiau a ddaliai dderbyniadau ariannol y dydd fel clustogau dan eu pennau. Bob bore aent nôl i'r siop gan barhau â'u busnes fel arfer.

Ar doriad y rhyfel fe wirfoddolodd tad Mrs Eileen Brigshaw o Aber-arth gyda Heddlu'r Môr-filwyr Brenhinol yn y Morlys. Drwy weithio'r nos gallai ddychwelyd adre bob bore i ddilyn ei wâc laeth. Roedd y rheolau mor llym nes bu'n rhaid i dad Dilys Scott wynebu cyfres o dribiwnlysoedd er mwyn cyfiawnhau aros adre i gyflenwi llaeth i'w gwsmeriaid er gwaetha'r ffaith y byddai bob nos yn gwneud ei ddyletswydd fel warden cyrchoedd awyr.

Cafwyd enghreifftiau di-rif o berthnasau o Gymru –

menywod gan fwyaf – yn gadael eu cartrefi am Lundain i helpu mewn busnesau am fod llaethwyr wedi eu galw i'r drin. Fe gafodd Eilir Daniels o Landeilo brofiad o hynny gyda'i hen fodryb yn mynd i Lundain i helpu perthynas dros dro, ond yn aros yno drwy gydol y rhyfel. Roedd gan deulu Gwyn Evans laethdy yn Holland Park. Roedd ei dad wedi'i alw i'r fyddin felly fe ddaeth ei fodryb fyny o Ddihewyd i gynorthwyo gyda'r gwaith o gyflenwi llaeth.

Fe gafodd y cyrchoedd awyr effaith arswydus ar fusnesau a bywoliaethau. Wynebwyd yr argyfwng gan y teulu Davies o Lynarthen – a oedd eisoes wedi anfon eu dau blentyn i ddiogelwch i Gastell-nedd – drwy deithio bob nos i Slough a dychwelyd i'w llaethdy bob bore i gyflenwi llaeth, arferiad barhaodd am rai misoedd. Yna, ddiwedd 1944 a phawb yn eu gwelyau disgynnodd bom ar ganol y stryd gyferbyn gan chwalu un pen i'r siop yn llwyr. Achubwyd eu bywydau gan y ffaith na châi'r distiau eu dal fyny gan y wal dalcen ond yn hytrach gan y ddwy wal gyferbyn. Condemniwyd yr adeilad fel un anniogel gan y swyddogion diogelwch a gorchmynnwyd dymchwel yr adeilad cyfan. O fewn eiliadau, collodd y teulu bopeth heb unrhyw obaith am iawndal. Aethant i Gastell-nedd at eu plant a chychwyn busnes newydd yn rhedeg lorïau.

Gwelodd Iwan Jones o Lanbed fusnes y teulu'n dirywio oherwydd y bomio, o chwe chant i gant o gwsmeriaid. Nid oedd ganddynt unrhyw ddewis ond gadael y cyfan a dychwelyd i Gymru.

Roedd gan Margaret Davies, un o deulu Darren Fawr, fusnes llaeth yn Boswell Road. Rhedai Margaret y busnes ei hunan, ond daeth aelodau o'i theulu draw tra oedd ei gŵr yn y fyddin. Byddent yn llochesu rhag y bomiau yng ngorsaf danddaearol Holborn. Wrth ddychwelyd adre un bore gwelsant fod y siop wedi ei tharo gan fom. Roedd Margaret ar fin esgor ar blentyn a doedd dim dewis ond mynd adre i

Gymru i roi genedigaeth iddo.

Un nos Sul roedd teulu Oriel Jones o Lanfihangel-ar-arth yn y gwasanaeth hwyrol yng Nghapel King's Cross. Fe wnaethon nhw ddychwelyd adre i ganfod eu cartref a'u busnes wedi eu dinistrio'n llwyr gan gyrch bomio – eiddo a bywoliaeth yn rwbel.

Fe wnaeth Marjorie Hughes o Landre ddisgrifio'r effaith gafodd y rhyfel ar fusnes ei rhieni yn Llundain yn ei hatgofion a gyhoeddwyd ar y we fel rhan o hanes Capel y Garn, Bow Street. Wyth oed oedd hi ond cofiai o hyd yr 'Anderson Shelters' ac awyrgylch y blacowt. Fe'i danfonwyd i ddiogelwch Llanfihangel-y-Creuddyn ond fe achosodd bom gryn ddifrod i'r siop – dymchwelwyd y nenfwd a chwythwyd y ffenestri allan. Ond er gwaetha'r difrod a barodd iddynt golli'r cyflenwad trydan am gyfnod hir, rhaid oedd cadw drws y siop yn agored.

Roedd gan rieni Betty Evans o Aber-porth wyth o war180theg godro yn y busnes a redent yn yr East End. Un noson, trawyd eu cartref gan fom. Dinistriwyd yr adeiladau a lladdwyd y gwartheg a'r unig ddewis oedd dychwelyd i'r henfro yn y Felin-fach. Roedd digwyddiadau o'r fath yn gyffredin i lawer. Doedd yna ddim iawndal o unrhyw fath ac roedd yn rhaid ailddechrau yn y dechrau.

Ond mae hanesion am sut y treuliodd gwahanol deuluoedd eu hamser yn ceisio osgoi'r bomio tra oeddent yn ceisio'u gorau i fyw bywyd arferol yn hynod o ddiddorol. Gall Ann Edwards adrodd hanes y cwsmeriaid yn ymuno â'r teulu yn eu siop. Yno roedd ffordd osgoi wedi ei thorri drwy'r wal i'r siop dybaco'r drws nesaf ac yn cuddio'r drws roedd darlun olew mawr. Pan glywid y seiren byddai trigolion y ddau adeilad yn ymuno â'i gilydd, ac yno, tra oeddent yn disgwyl yr 'all clear' byddent yn canu a dawnsio gan geisio'u gorau i anwybyddu'r hyn oedd yn digwydd y tu allan ac uwch eu pennau.

I Peggy Beaven, merch John a Margaret Jacob a gadwai siop a llaethdy yn Willesden, bu'r rhyfel yn fendith mewn un ffordd. Teimlai i'r system bloc achub busnes ei rhieni – rhoddodd hynny ddiwedd ar orfod teithio filltiroedd i gyflenwi peint neu ddau. Teimlai hefyd fod y gyfundrefn ddogni wedi bod yn gymorth drwy i gwsmer orfodi pob cwsmer i gofnodi ar gyfer siop arbennig. Newidiodd y rhyfel lawer o'r arferion hefyd, meddai. Cyrhaeddai'r llaeth mewn poteli. Llwyddwyd i brynu oergell a newidiwyd y pram llaeth trwm am gert drydan ysgafn.

Yn dilyn y rhyfel, fe newidiodd patrymau cymdeithasol ac amgylchiadau marchnata'n llwyr. Arweiniodd y rhyfel at all-lifiad anferth, a difrod ar raddfa enfawr i adeiladau gyda rhai busnesau yn diflannu dros nos. Roedd sefydlu parthau wedi ei gyflwyno ar gyfer rheoleiddio llaeth, ac roedd hynny'n newid patrwm bywyd yn llwyr i'r llaethwyr.

Roedd gan deulu Bowen Williams o New Barnet brofiad o fod yn y busnes drwy'r ddau ryfel byd. Gadawodd ei dad, John Morgan Williams Lanrhystud yn ddwy ar bymtheg oed i weithio gyda chyfanwerthwr ar ddiwedd y bedwaredd ganrif ar bymtheg. Roedd ei fam, yr hynaf o bump o blant o Fronnant wedi mynd i Lundain fel morwyn. Priododd y ddau ddechrau'r ganrif ddiwethaf gan gymryd at fusnes yn Stockwell. Fe wnaethon nhw weithio drwy gydol y Rhyfel Mawr gan brofi arswyd cyrchoedd bomio'r Zeppelins. O 1912 tan 1921 câi llaeth ei gludo i mewn o Wlad yr Haf mewn caniau llaeth dau alwyn ar bymtheg a'i werthu'n uniongyrchol a'i arllwys i jygiau'r cwsmeriaid.

Ganwyd Bowen yn 1920. Yna symudodd y teulu yn ôl i Gymru, yn bennaf er mwyn cael bywyd iachach. Ond wedi deuddeng mlynedd fe'u gorfodwyd gan y dirwasgiad amaethyddol i symud yn ôl i Lundain yn 1932. Park Dairies yn Hornsey, gyda'i dair rownd laeth, oedd y busnes a ymgymerwyd ganddynt.

Yn ystod yr Ail Ryfel Byd bu'n rhaid i'r fam redeg y busnes gyda'r mab hynaf, a oedd hefyd yn gweithio i'r gwasanaeth ambiwlans yn dilyn ei gyfnod yn y fyddin. Fe listiodd Bowen ei hun yn yr Awyrlu ond dychwelodd i fusnes y teulu pan ddaeth ei dymor yno i ben. Roedd Bowen mewn sefyllfa berffaith i gymharu'r amodau cyn ac wedi'r Ail Ryfel Byd. Fe arweiniodd y cynllun parthau a chaledi'r rhyfel at gwtogi nifer y rowndiau i ddwy ac oherwydd rheoliadau rhyfel, bu'n rhaid rhoi'r gorau i rownd y bore cynnar cyn saith o'r gloch. Ond gwellodd pethau gyda nifer y rowndiau'n cynyddu unwaith eto, ac adferwyd y cyflenwad bore cynnar. Cyrhaeddai'r llaeth mewn poteli erbyn hynny ac ildiodd yr hen gerti gwthio eu lle i'r trolis trydan.

Gwerthwyd y busnes yn y diwedd yn 1985 i gwmni Ffermydd Arglwydd Rayleigh ar ôl 53 o flynyddoedd o werthu llaeth.

Eithriadau oedd Trefor a Mair Morgan o ardal Bwlchllan. Ar ôl dechrau ffermio yng Nghwm-ann dan amodau anodd, penderfynodd y ddau ymuno â'r farchnad laeth gan brynu busnes yn Portobello yn 1962. Prynwyd y busnes – siop a llaethdy traddodiadol – drwy asiant o Gymro, David Jones. Roedd y gwaith yn golygu dwy rownd y dydd, a dyn y wâc laeth gyntaf oedd Idris Davies o Lannon. Trefor ei hun fyddai'n gwneud yr ail. Rhedai Mair y siop ei hunan rhwng saith o'r gloch y bore tan saith yr hwyr bob dydd. Cyrhaeddai'r llaeth mewn poteli o laethdai mawr annibynnol – poteli plaen oedd y rhain heb enwau cwmnïau arnynt felly doedd dim perygl yr aent ar strae. Ond saith mlynedd yn unig fu eu harhosiad yno.

O ran y busnesau llaeth, roedd y mwyafrif o'r llaethdai wedi bodoli am gryn amser cyn y rhyfel. Ac o'r llaethwyr hynny a orfodwyd i adael yn ystod y rhyfel, ychydig iawn wnaeth ddychwelyd. Ychydig hefyd wnaeth gychwyn bywyd newydd yn y ddinas.

Arwydd o'r newid mawr oedd i ddod oedd yr hyn a ddigwyddodd i deulu Andrew James o Landysul. Fe aethant i Lundain yn 1959 gan ddilyn brawd a oedd wedi gadael ddeng mlynedd yn gynharach. Ond yn hytrach na bodloni ar gyflenwi llaeth i ddrysau'r tai yn unig, fe arallgyfeiriodd y teulu gan lwyddo i sicrhau cytundeb i gyflenwi'r Stadiwm Olympia, gan ragflaenu gwerthwyr diweddarach fel Lewis, Jones a Morgan sydd heddiw'n darparu ar gyfer gwestai a busnesau yn unig.

Bu'r rhyfel yn drobwynt yn hanes y fasnach laeth. Gwelwyd mwy a mwy o laethwyr a'u teuluoedd yn gorfod gwerthu eu busnesau i'r cwmnïau mawr ac amryw ohonynt yn troi at y diwydiant gwely a brecwast. Lleolwyd y rhain yn aml iawn yng nghyffiniau gorsafoedd trenau fel Euston, Victoria a Paddington.

O un i un, prynwyd y rowndiau llaeth gan gwmnïau cyfun gan adael y siopau bach heb y ffynonellau incwm hynny. Doedd hynny ddim yn ddigon iddynt fod yn hyfyw. Weithiau gwelwyd y perchnogion yn arallgyfeirio at werthu bwydydd ysgafn fel brechdanau i weithwyr mewn swyddfeydd cyfagos. Enghraifft dda o hyn oedd John Lewis o Aberaeron. Sefydlodd ei dad-cu, mwynwr o Gwmsymlog laethdy yn Blackfriars. Etifeddwyd y busnes gan dad John ac yna John ei hun yn y pum degau. Bu'n rhaid iddo werthu'r rownd laeth i Lewis arall o Lwyncelyn a chanolbwyntio ar y siop gan arallgyfeirio trwy werthu brechdanau. A throdd John hefyd at focsio proffesiynol yn y pwysau lled-drwm. Diwedd y stori fu i'r llaethdy gael ei werthu i Eidalwr a'i droi'n gaffi.

Un o'r busnesau olaf oedd un brawd a chwaer, D. R. a B. Daniel yn Westminster. Fe wnaethon nhw gychwyn mewn busnes llaeth yn Morton Terrace yn 1931 gan adael gweddill y teulu gartref yn Llangybi, gan barhau tan 1995 cyn ymddeol i Gymru fel llawer o rai tebyg. Mewn erthygl yn y

Western Mail yn sôn am eu dyddiau olaf yn Llundain fe wnaethon nhw ddisgrifio'u harferion gwaith – cychwyn am bump o'r gloch y bore i botelu'r llaeth, ac yna gweithio drwy gydol y dydd yn y siop. Ymhen tipyn rhoesant y gorau i'r wâc laeth gan werthu o'r siop yn unig, ynghyd â bara, grawnfwyd a nwyddau cyffredinol siop groser. Disgrifiodd Mr Daniel gyda balchder sut y gwnaeth unwaith atal ymgais aflwyddiannus gan leidr i ddwyn arian.

Cafodd y bomio a'r gwaith ail-adeiladu a ddilynodd effaith ddifâol ar y llaethdai gyda'r canlyniad mai ychydig iawn sydd ar ôl i'n hatgoffa iddynt fodoli o gwbl. Ond mae modd enwi tri busnes a lwyddodd i oroesi'r anhrefn a'r terfysg a achoswyd gan y rhyfel.

Sefydlwyd busnes teulu Lewis yn 1928 gan Lewis Lewis o Bennant a'i wraig Gwladys. Parhaodd y mab a'r ferch-yng-nghyfraith, Glyn ac Iris gyda'r busnes ar sail llaethdy traddodiadol nes gwerthu'r rowndiau llaeth. Cadwyd y siop gan ddechrau cyflenwi llaeth i dai bwyta a gwestai. Caeodd y siop saith mlynedd yn ôl ac mae'r busnes bellach yn canolbwyntio ar gyflenwi cynnyrch llaeth i dai bwyta a gwestai yng nghanol Llundain gyda fflyd o faniau'n gweithio o Emma Street, Bethnal Green, lle mae'r brif swyddfa. Mae honno o dan reolaeth dau o wyrion y ddau a sefydlodd y busnes, y brodyr John ac Edward Lewis.

Cychwynnwyd cwmni llaeth Morgans gan Morris Evan Morgan yn 1894 ac – fel yn achos y brodyr Lewis – mae'n parhau'n fusnes llaeth annibynnol. Yn 1947 fe'i prynwyd oddi wrth aelod o'r teulu gan Mair a Ieuan Morgan ac erbyn hyn mae yn nwylo'u meibion, Gareth a Geraint. Maen nhw'n dal i gyflenwi llaeth ar garreg y drws o gwmpas eu canolfan yn Fulham ac mae ganddynt gleientiaid cyfanwerthol yn cynnwys tai bwyta, arlwywyr bwyd a swyddfeydd yn ogystal. Erbyn hyn maen nhw hefyd yn darparu archebion ar-lein.

Y trydydd busnes o'r fath yw un y Brodyr Jones yn The City of London Dairy. Cychwynnwyd y busnes gan Henry Jones a'i deulu, a adawodd y Borth ger Aberystwyth yn 1877, yn Jewry Street. Fe briododd Henry â Sarah Anne Morgan o Glarach. Fe wnaethon nhw symud i fusnes yn Stoney Lane yn ddiweddarach. Yn dilyn eu marwolaeth – cofnodwyd eisoes hanes dychweliad Sarah i'w chladdu yn Llanfihangel Genau'r Glyn – etifeddwyd y busnes gan ddau fab. Yn ystod y rhyfel cymerodd y chwiorydd at yr awenau tra oedd eu brodyr yn y fyddin. Wedi'r rhyfel, dymchwelwyd llaethdy Stoney Lane ac agorwyd safle newydd yn Middlesex Street gyda siop yn gwerthu cynnyrch llaeth gerllaw. Er bod cyflenwadau i dai wedi gostwng, mae'r busnes bellach yn gweithredu fel cyfanwerthwyr a mân-werthwyr yn nwylo'r bedwaredd genhedlaeth gyda thri phartner, Trefor, Catherine a Henry Jones. Ac mae'r bumed genhedlaeth yn disgwyl ei thro yn eiddgar.

Erys ambell adeilad llaethdy hyd heddiw. Er bod eu swyddogaeth wedi newid, mae eu parhad wedi ei ddiogelu o dan amodau rhybudd cadwraeth. Yn Amwell Street mae llaethdy Lloyd a'i Fab. Mae'r tu mewn yn nodweddiadol o'r hyn a geid yn y tri degau. Un nodwedd, oedd yn gyffredin i nifer o siopau o'r fath, sydd i'w gweld yma yw pâr o gyrn buwch Castellmartin – adlais o gyfnod y porthmyn. Ac yn Camden mae hen laethdy T. Evans 35 Warren Street ar gornel Conway Street yn aros, gyda'r gwaith teils a'r reiliau gwreiddiol yn eu lle o hyd. Perchennog Cymreig olaf y siop oedd Mrs Evans a ymddeolodd yn 2000, a theulu o Dwrci sydd bellach yn rhedeg busnes yn y lle. Mae'r adeilad yn dyddio o tua 1793. Mae placiau yn y siop sy'n dwyn ar gof y dyddiau hynny pan agorwyd y lle yn llaethdy, tua 1916. Ac mae'r hyn sydd nawr yn fynedfa i'r 'Mews' yn arwain i'r man lle byddai'r gwartheg a'u ceidwaid yn y dyddiau gynt. Fe'i diogelir fel Adeilad Rhestredig Gradd II.

I adleisio geiriau Dafydd Iwan, 'RY'N NI YNO O HYD!

Y Diwedd

Gellir creu llinell amser wrth adrodd hanes y fasnach laeth yn Llundain. Mae hi'n dilyn hanes economaidd a chymdeithasol ardal fechan o Gymru.

Cyflenwodd y porthmyn y ddinas â gwartheg a fridiwyd ar borfeydd yng Nghymru ac fe wnaeth y ceidwaid gwartheg gyflenwi'r llaeth ar gyfer poblogaeth gynyddol y ddinas. Mabwysiadwyd a datblygwyd y fasnach yn y pen draw gan boblogaeth o laethwyr o dde sir Aberteifi gan fwyaf ond gyda chyfraniadau gan ardaloedd eraill yng Nghymru. Ymhen hir a hwyr fe arweiniodd pwysau economaidd at eu tranc a'u disodli gan fentrau sy'n parhau hyd heddiw yn nwylo pobl sy'n ymfalchïo yn eu gwreiddiau a'u tarddiad.

Gellir cynnig ambell sylw cyffredinol: pan ddaw dau neu dri o aelodau hen deuluoedd sir Aberteifi at ei gilydd fe all y sgwrs yn aml droi at y rhwydwaith o deuluoedd perthynol, pob un ohonynt â phrofiadau o fod yn rhan o fasnach laeth y Cymry yn Llundain. Ac fe wna'r sgwrs yn ddi-ffael droi at sylw ar ba gapel neu eglwys a fynychid.

Rhan o'r perthyn hwn oedd y penderfyniad i godi eu plant mewn awyrgylch Gymraeg a Chymreig yn Llundain, gyda'r Ysgol Sul yn ganolbwynt ac yn ddylanwad sylweddol iawn. Mewn rhai achosion bu'r dymuniad mor gryf fel i deuluoedd ddychwelyd i Gymru pan oedd y plant yn ifanc iawn. Ymhlith rhai o'r rheiny a gadarnhaodd hyn roedd Trefor a Mair Morgan o Aberystwyth.

Roedd Trefor a Mair, fel y nodwyd, ymhlith yr ychydig prin a fentrodd i'r busnes llaeth yn Llundain wedi'r Ail Ryfel Byd. Gwelsant drostynt eu hunain effaith dyfodiad yr arch-farchnadoedd a'r newid anferth mewn natur cymdeithas. Gwelwyd y cwmnïau mawr yn prynu a llyncu busnesau bach, a'r rhai fu gynt yn gwerthu llaeth a gwahanol nwyddau siop yn troi at gadw llety gwely a brecwast neu'n mynd yn ôl

Y Brodyr Lewis – John (ar y dde) ac Edward

Busnes a oroesodd y rhyfel: y Brodyr Jones yn Middlesex Street

i'r hen wlad. Dychwelyd yno wnaeth Trefor a Mair.

Bu Trefor yn ffermio yng Nghymru a gwerthu llaeth yn Llundain o fewn yr un degawd. Roedd i'r ddau orchwyl yr un cyfyngiadau gwaith ac economaidd y gellid eu cymharu â'i gilydd. Pan ofynnais iddo pa un o'r ddau orchwyl, yn ei farn ef oedd galetaf atebodd ar unwaith heb betruso:

> Gwerthu llaeth – doedd dim seibiant dros benwythnosau nac ychwaith rhwng tymhorau.

Ond roedd 'gartre' bob amser yn golygu Cymru – man i ymddeol iddo a man a wnâi dderbyn cyfraniadau hael tuag at achosion da.

Diflannodd y gwerthwyr llaeth o un i un. Mae poblogaeth y Cymry yn Llundain bellach yn un broffesiynol gan fwyaf. Fe wnaeth bywyd ddilyn y tueddiad cyffredinol gyda ffyddlondeb i addoldai'n edwino.

Doedd y genhedlaeth a ddilynodd y llaethwyr ddim mor gyfyngedig o safbwynt cyfleoedd gwaith, ac yn eu plith canfyddwn gynrychiolaeth o'r galwedigaethau proffesiynol – meddygon, twrneiod, peirianwyr, athrawon ac yn y blaen. Fe wnaethant hwy lwyddo i ddefnyddio'u hetifeddiaeth o gadernid a deallusrwydd eu cyndadau er mwyn bod yn rhan o gymdeithas ehangach gan ddal gafael haeddiannol yn eu llinach yn y fasnach laeth.

Yr Alltudion – oriel o luniau gwaith a gorffwys

Aelodau o'r staff y tu allan i
Laethdy Roseneath yn 1936, Dilys
o Bow Street, Idwal a Ceri

Stan Gannaway, un o ddynion ein
wâc laeth yn Amner Road.

Yr awdur yn y llaethdy yn Amner
Road, Clapham yn 1932

Prynhawn dydd Mercher yn 1937,
y siop ynghau a finne gyda 'Nhad,
Dilys a Mildred (y morwynion) ar
drip am y pnawn

Atodiad 1

Hen Borthmyn

Ap Lewis
(David Evan Davies)

1

Mae Cymru a'i helynt yn annwyl i mi
Ei chymoedd feithrinodd enwogion o fri,
Ymhlith y rhai hynny sy heddiw tan gŵys
Myn hanes gofnodi hen borthmyn Llancrwys.

Da dewrion a dwys,
Da dewrion a dwys,
Difyrrus eu hanes
Oedd porthmyn Llancrwys.

2

Mae Ffair Ffaldybrenin yn ango ers tro,
A darfod yn gyflym mae ffeiriau y fro,
Does sôn am Ffordd Lloegr yn awr, na'r 'trw-hê' –
Y trên â'u diddymodd, daeth Sais yn eu lle.

3

Am fechgyn Llangurig does nemor ddim sôn,
Bron darfod bob copa mae porthmyn sir Fôn,
Fe gollodd Tregaron ei jocys yn llwyr,
Pa beth yw y rheswm, oes undyn a ŵyr?

4

Wrth neud eu cyflogau roedd gweision y plwy
Yn hawlio, i Loegr, ryw siwrne neu ddwy;
Y crydd gyda'r teiliwr a'r gwehydd fai'n cal
Siwrneion bob hydre i chwyddo eu tâl.

5

Cyfnewid mae ffasiwn yn gyflym o hyd,
Cyfnewid, ran hynny mae pobol y byd;
Y rhaff rawn a'r bicas sy'n awr heb un iws,
A'r fforch at bedoli, yr hoelion a'r ciws.

6

Cychwynnai y porthmyn yn writgoch ac iach
I ddilyn y ffeiriau, tua dechre Mis Bach;
Ac yna trwy'r flwyddyn, ar hyd ac ar led,
Yn prynu a gwerthu tra mynd ar y trêd.

7

O ffeiriau sir Benfro, da mawrion i gyd,
A'u cyrnau gan fwyaf yn llathed o hyd;
O Hwlffordd, Treletert, a Narberth, rhai braf,
O Grymych, Maenclochog a Thŷ-Gwyn-ar-Daf.

8

O Lanarth, o Lanbed, Ffair Rhos a Thalsarn,
O Ledrod, Llandalis, y delent yn garn,
O ffeiriau Llanbydder, Penuwch a Chross Inn,
Da duon, da gleision, ac ambell un gwyn.

9

O ffeiriau Caerfyrddin, da perton ac ir,
Ac ambell f'ewynnog o waelod y sir;
Doi da Castell Newydd a Chynwil i'r lan
At dda Dyffryn Tywi i gyd i'r un man.

10

Nôl cael at ei gilydd y nifer yn llawn,
A'r gofiaid bedoli pob ewin yn iawn,
Cychwynnai y fintai yn hwylus eu bron
Y 'guide' yn bryderus, a'r haliers yn llon.

11
Roedd nifer o haliers dan ofal y 'guide',
A hwn oedd yn trefnu y cyfan, gan wneud
Yr oll o'r taliadau am gaeau a tholl
A chyfrif amdanynt yn gyflawn heb goll.

12
Yr haliers rai troeon yn borthmyn yr aent
Os benthyg peth arian yn rhywle a gaent;
A llawer hen geffyl rôl ffaelu'n ei waith
Ddoi'n ebol lled hoyw cyn terfyn y daith.

13
Drwy dref Llanymddyfri, dros Lwydlo a'r Wy,
Ymadael â Chymru i ddychwelyd byth mwy,
Mae ffyrdd yn ymledu a'r borfa'n brashau,
Yr haliers yn llaesu, a'r da yn tewhau.

14
Un tro pan oedd Rhysyn yn halier i'w dad,
Fe syrthiodd yn sydyn dros ymyl y bad
I ganol yr afon, ond glaniodd yn iach
Wrth gynffon yr eidon yng nghafan Twm Bach.

15
Cychwynnai y porthmyn cyn toriad y wawr
I'r ffeiriau yn Lloger ar ben y 'Coach Mawr',
Drwy Henffordd a Ledbury a thiroedd y gwair
I Gent neu Northampton, 'nôl fel byddai'r ffair.

16
Os digon o mofyn, fe werthid yn rhwydd
Dda mawrion yn gynta, ac yna rhai blwydd,
Rôl talu amdanynt a'u danfon yn iawn,
Roedd pob un yn llawen a'i logell yn llawn.

17

I blith yr aneirod ym merw y ffair
Aeth ambell i fustach – un dwyflwydd neu dair –
A dwedid fod weithiau gyfnewid yn bod -
Roedd llawer yn methu adnabod y nod.

18

Am y cynta'i fynd adre yn awr fyddai'r gamp
Yn hwyr ac yn fore ar ddwytroed – yn dramp.
Ceid te a pheth licer, ond peidiwch â sôn,
Cyfrwyau a ffrwyni, neu ddillad o'r pôn.

19

Tra'n croesi yr afon i'r gwëydd rhoddwyd sen
Am ddychwel i Gymru a dimau dros ben.
'I bob gwlad ei harian,' medd William, bid siŵr,
Gan daflu y ddimau yn ôl dros y dŵr.

20

Wrth ddod at Dŷ Hetti yn fore rhyw ddydd,
Fe'i clywsent hi'n gwaeddi yn rhuddgoch a rhydd:
'Does gen i ddim diod, darfyddodd yn llwyr,
A phryd câ'i beth eto, y mowredd a ŵyr.'

21

'O, wel,' ebe William, 'yr oedd hi'n go wan
Pan o'n i'n mynd heibio y ffordd hyn i'r lan,
Mi wedes wrth Dafydd, mab Teimoth y go
Ma darfod y neithe'i os na cheise'i dro.'

22

Ar ddiwedd y ffeiriau pan ddaethent ynghyd
I wneud y cyfrifon dan gronglwyd fawr glyd,
Ceid adrodd helyntion am oriau'n ddi-ball –
Pob un ar ei orau i drechu y llall.

23

Ar derfyn yr hanes, dymunol im' yw
Fod coffa amdanynt hyd heddiw yn fyw;
A bod y rhinweddau oedd eiddo hwynt-hwy
Fyw eto ym mywyd trigolion y plwy.

Roedd Tomos Phillips Ochorbryn
Yn ŵr go dyn am fargen;
A Jones Ro-wen wrth brynu da
Enillodd lawer sofren;
Am ddaoedd mân a phrisoedd is –
Ben Lewis Cwmcelynen.

Rhown enw Davies Troedybryn
I lawr fan hyn fel porthmon,
A William Davies gynt o'r Llwyn
A dau o'i fwynaidd feibion;
Bu Price Werndigaid gyda hwy
Yn tramwy gwlad y Saeson.

Nathaniel Edwards – enwog un,
A'i fechgyn yn eu helfen,
Mistir Morgans o Flaentwrch
A'i 'guide' o Fwlch-y-gilwen;
A Gŵr y Siop gylymai'n dyn
Y gadwyn am y goeden.

Roedd Dafydd Harries Blaen-y-clawdd
Yn borthmon hawdd i 'daro',
A John Walters Esgercrwys
Fu'n borthmon dwys yn delo,
A Joseph Jones, un annwyl oedd –
Gan luoedd gaiff ei gofio.

Caed Lewis Lewis Pantycrug
Yn ddeler diddig ddigon,
Gŵr Brynmawr ddanfonodd lu
O dda i wlad y Saeson;
Roedd Godre Rhos yn brynwr ta'r
A gŵr Brynarau-Gleision.

Bu Daniel Davies o Dynant
Do, droeon bant yn Lloeger,
Daeth Howell Jones a gŵr Ddolwen
Yn berchen arian lawer,
A Tomos Blaen-cwm-pedol fu
Am flwyddi lu yn ddeler.

Pedolwyr gwych am isel bris
Oedd Isaac Rees a'i fechgyn;
Tra Dafi'r go a Jaci'r Ram
Na hidient fawr am undyn;
Ond nid oedd gwell rhai yn y trêd
Na gofiaid Ffaldybrenin.

Ni chlywir mwy am borthmyn clust
Na chwaith am 'list to order',
Na chlinc y ciws ar draed y da
Fai'n mynd bob ha' i Loeger;
Ni welir mwy y ffrwst a'r brys
Am hoelion Rhys y Nailer.

Pa le mae Barnet fawr ei bri
A Naseby a West Haddin,
Neu Harley Bush a Harley Row
Ac Ingaston a Maldin?
Y ffeiriau aeth, eu meth a'u moes,
Darfyddodd oes y porthmyn.

Atodiad 2

Dyma enghraifft o gostau'r porthmon Dafydd Jonathan o Ddihewyd am gerdded gwartheg o sir Aberteifi i Lundain yn 1839.

Jonathan Accounts (1839)	£	s.	d.
Cwmdulas House		5	0
Abergwesyn Tavern		15	0
Boy drive the beast		2	0
Newbridge Tavern			6
Llandrindod grass		13	6
Smith, tavern			6
Smith, grass		17	0
Maesyfed gate		1	6
Pay John for shoeing	1	1	0
Kington gate		3	0
Kington grass		18	0
Half-the-road gate		3	0
Llanllern gate		2	6
Westinton grass	1	0	0
Westinton grass		5	9
Westinton gate		3	0
Bromyard gate		3	6
Bontwillt gate		2	3
Bontwillt tavern		17	3
Worcester gate		5	0
Worcester tavern			6
Worcester tavern		2	6
Wilbercastle tavern		18	0
Wilbercastle gate		2	9
Stratford grass		14	6
Stratford tavern		3	0
Stratford gate		2	6

Warwick tavern		18	3
Southam tavern		18	0
Warwick gate		2	6
Windmill tavern		18	0
Windmill gate		2	0
Daventry grass		14	6
Daventry tavern		3	7
Daventry gate		5	0
Northampton tavern		18	0
Northampton gate		2	6
Wellingboro' gate		2	6
Wellingboro' gate		2	6
Wellingboro' tavern		13	6
William Wells tavern		8	6
? gate		2	6
Elstow tavern	1	19	0
Elstow tavern	1	10	6
Man mind beasts		1	6
Egin tavern		16	6
Egin gate		1	6
Hertford tavern		2	6
Hertford gate		2	6
Stansted tavern		13	3
Ongar grass	1	2	0
Ongar tavern		5	0
Chelmsford	1	0	0
Other expenses at fair and return home	2	0	4
	£26	9	5

Atodiad 3

Cyngor i'r Porthmyn

Os d'wyt borthmon dela'n onest,
Tâl yn gywir am a gefaist;
Cadw d'air, na thor addewid;
Gwell nag aur mewn côd yw credid.

Na chais ddala'r tlawd wrth angen,
Na thrachwanta ormod fargen:
Na fargeinia â charn lladron,
Ni ddaw rhad o ddim a feddon.

Gochel brynu mawr yn echwyn,
Pawb ar air a werth yn 'sgymun;
Prynu'n echwyn a wna i borthmon
Ado'r wlad a mynd i'r Werddon.

Gochel dwyllo dy fargeinwyr,
Duw sydd Farnwr ar y twyllwyr;
Pe dihengit tu hwnt i'r Werddon
Duw fyn ddial twyll y porthmon.

Byth ni rostia un o'r twyllwyr,
'Rhyn a heliant, medd y 'Sgrythur;
Ni ddaw twyll i neb yn ennill,
Fe red ymaith fel trwy ridyll.

Gochel feddwi wrth borthmona,
Gwin hel borthmon i gardota,
Os y porthmon a fydd meddw,
Fe a'r holl stoc i brynu cwrw.

Dela'n union, carca d'enaid;
Na ddiflanna â da gwirioniaid;
Pe diflannit i'r Low Cwntres,
Dial Duw a fyn d'orddiwes.

Rhys Prichard,
Cannwyll y Cymry,
Caerfyrddin 1807

Atodiad 4

Dogfen bryniant ewyllys da busnes yn Fulham gan Llewelyn ac Anne Evans yn 1936.

An Agreement *made this* 19th *day*
of *Sept.* 1936
Between
of Edward Bertram Lewis Evans
135 Dawes Rd Fulham Sw

(hereinafter called "the Vendor") of the one part and
of Llewellyn & Jane Evans
18 Stafford Rd Kilburn
in the County of London
(hereinafter called the "Purchaser") of the other part WHEREBY it is mutually agreed as follows:—

The Vendor agrees to sell and the Purchaser agrees to purchase for and in consideration of the sum of £750.

1. THE GOODWILL and Interest of the Dairy and Provision Business now carried on by the Vendor at and from 13 Dawes Rd SW6 *and in connection therewith at the present time retailing daily* 35 *gallons at* 7 *pence per quart and* *gallons at* *pence per quart* *Together with the provision trade carried on at and from the said premises amounting approximately to £* 25 — *per week.*

2. All the trade fixtures fittings and utensils belonging to the said business as a going concern.

3. All that the said messuage shop and premises known as No. 135 Dawes Rd Fulham SW6 *held under an Indenture of Lease bearing date the* *day of* Lease of 31 years to be gr at £85 *for the residue of the term of* *years computed from the* *day of* *at the yearly rent of £* *and subject to the covenants and conditions therein contained which Lease has been produced to the Purchaser for his inspection prior to the execution of this agreement and the Purchaser shall be deemed to have full notice of the contents thereof whether of a usual character or not.*

4. All the Vendors interest in the agreements for Milk Supply and all service Agreements and the other Contracts appertaining to the Business.

AND the Purchaser agrees to accept and to prepare at their own expense an Assignment of the said Lease

Atodiad 5

Cytundeb gwerthu busnes yn Rotherlithe gan Rees Edwards
i Daniel Lloyd.

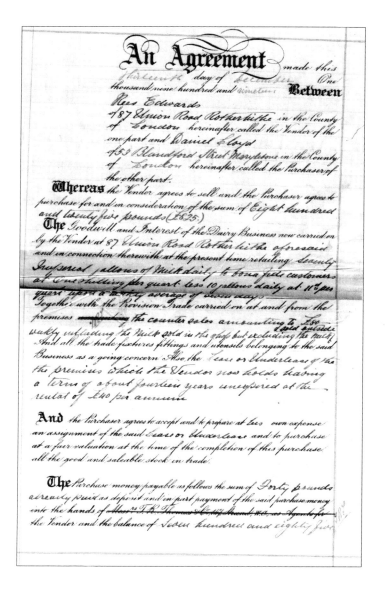

Atodiad 6

Datganiad setliad John Morgan Williams a'r Mri Morgans am laethdy 38 Hartington Road, South Lambeth ym mis Ionawr 1921. Cymro yw'r asiant.

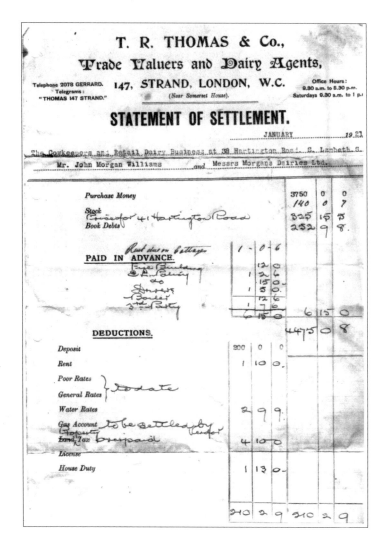

Atodiad 7

Cytundeb setliad E Roscoe Lloyd (gwerthwr) a Mrs E Nicholas (prynwr) am laethdy 215 Acton Lane, Chiswick yn 1933. Cymro yw'r asiant.

```
PHONE : Office  Gerrard 1430.
        Private   Park 7117.

                   W.  T H O M A S,

                   Dairy Agent,

           4 3,  O X F O R D  S T R E E T,  W. 1.
           Opposite Frascati's. Nr. Tottenham Crt Rd. Tube.

               STATEMENT OF SETTLEMENT.

                              16th   December,   1933.

Business at  215, Acton Lane, Chiswick, London, W.3., by Mr. E. R. Lloyd.

Purchased by Mrs. E. Nicholas, 94, High Street, Hornsey. N. 8.
```

	£	s	d
Purchase Money	1925	0	0
Stock	69	4	4
Book Debts	44	10	1
Paid in Advance by Vendor :			
Fire Insurance & Plate Glass Insurance paid to Sept. 29th 1934 @ £2-5-0 p.a. - 287 days.	1	15	4
General Rates Paid to 31st March 1934 = 105 days	7	2	2
Insurance Fire ½ Workmens Compensation £... *Third Party £1. Dering Risk 10/8* *all Paid to 25th March 1934 = 99 days*		15	8
	9	13	2
	2048	7	7
DEDUCTIONS :			
Deposit	100	0	0
Rent due from 25th Nov., to16th Dec. 1933. -21 dys	4	1	8
General Rates due from 30th Sept. to16th Dec.	5	4	3
Water Rates due from 30th Sept. to16th Dec.		15	3
Gas Account ... ... Settled by Vendor.			
Electric Light Account			
Property Tax			
	104	16	11
£	1943	10	8

147

Atodiad 8 – detholiad o luniau cyfeillion ar y Llwybr Llaethog

Mam a'r forwyn Mary Bott yn Fulham

David a Nan Nan yn eu siop yn Dulwich

Llun o gert y Brodyr Evans, Hampstead

Siop y Brodyr Morgan

Siop Owen Davies, Tottenham yng nghanol y tri degau

Siop teulu Parry-Williams yn Replingham Road, Southfield

Nans, mam Valerie, y tu ôl i'r cownter yn Lyal Road

Caniau llaeth ar orsaf yng Nghymru yn disgwyl am y trên i Lundain

Cydnabyddiaeth

Ni fyddai'r gyfrol hon wedi gweld golau dydd heb gymorth y rhai a restrir yma – pobl a roddodd o'u hamser, a'm gwahoddodd i'w cartrefi, a ymwelodd â mi, a lythyrodd neu a gysylltodd drwy e-bost neu dros y ffôn, a fenthycodd i mi ffotograffau i'w sganio ac a lwyddodd i'm perswadio fod hwn yn orchwyl yr oedd angen ei gwblhau. Diolch i bawb yn ddiwahân. Os y gwnes adael enw unrhyw un allan, ymddiheuraf o waelod calon.

Peggy Beaven, Llundain
Mary Bott, Aber-porth
Christine Boudier, Llundain
Carys Bridden, Taliesin
Eileen Brigshaw, Aber-arth

Olive Corner, Porthcawl
Ron Cowell, Llanrhystud

Alun Eirug Davies, Aberystwyth
Betty Davies, Aber-porth
Eilir Ann Daniels, Cricieth
Eleri Davies, Aberystwyth
Elgan Davies, Castellnewydd Emlyn
G. Davies, Brentwood
Emrys Davies, Brynaman
Gareth Davies, Ealing Green
John Davies, Llanrhystud
Nesta Mary Daniels, (nee Lewis) Llandeilo
Rod and Rosie Davies, Llanfihangel-ar-arth
Roger Davies, Llanwrtyd
Russell Davies

Anna Brueton, LW Family History Society
A. Ebenezer
Anne Edwards, Watford
Elizabeth Evans
Evan a Carol Evans, Tal-y-bont
Goronwy Evans, Llanbedr Pont Steffan
Gwyn Evans
Ifor Evans, Machynlleth
Iori Evans, Pentywyn
Jane Evans
Megan Evans, Dulwich
Rhiannon Evans, Tregaron

Cledwyn Fychan, Llanddeiniol

Mair Griffiths, Llanddewibrefi
Betty Griffiths, Aberystwyth
Blodwen Griffiths, Abergwili
Rhidian Griffiths, Aberystwyth
Heather Grose, e-bost hegrose@waitrose.com

Siw Harston, Capel Seion, Ealing Green
Richard and Bethan Hartnup, Bow Street
Emyr Hopkins, Tregaron

Andrew James, Llandysul
Mair James, Llangeithio
Gwenllian Jenkins, Llanfabon, Caerffili

Kitty Jenkins, Lledrod
Aled Jones, Cilcennin
Andrew and Pat Jones, Cwm-ann
Aneurin Jones, Llanbed
Ann Jones, Bronnant

Edwin Jones, Cross Inn
Eluned Jones, Pinner
Emrys Jones, Aberaeron
Evan Jones, Caerdydd
Evan Jones, Bethania
Evan Jones, Llanddewibrefi
Helen Jones, Aberaeron
Henry Jones, Llundain
Iwan Jones, Llanbed
John Richards-Jones, Llanwrtyd
Jon Meirion Jones, Llangrannog
Lloyd Jones, Talgarreg
Mary L. Jones, Brynaman
Morgan Jones
Oriel Jones, Llanfihangel-ar-arth

Emrys Lewis, Brynaman
Euros Lewis, Cribyn
Iris Lewis, Llanrhystud
Jennie Lewis, Barnet
John Lewis, Aberaeron
John Lewis, Llundain
Rees Glyn Lewis, Bae Colwyn
Evana Lloyd, Aberaeron
Huw Lloyd, Abergele
Ifor and Myfanwy Lloyd, Aberaeron
John Lloyd, Aberystwyth
Lewis Lloyd, Llundain
Trefor Lloyd-Jones, Amersham

Gwen Manley, Tal-y-bont
Audrey Morgan, Aberaeron
Dai Morgan, Borth
Evan Morgan, Cardiff

Gareth and Geraint Morgan, Llundain
Tom and Bethan Morgan, Aberaeron
Trefor and Mair Morgan, Aberystwyth

Anne Owen

Ieuan Parry, Blaenplwyf
John and Jennie Parry-Williams, Blaenplwyf
Gwyn Pickering, Llundain
Dilys Scott, Weymouth
Margaret Sharp, Aberystwyth
Richard and Joyce Snelson, Dinbych

Anne Thomas, Watford
Elizabeth Thomas, Llundain
Hazel Thomas, Aberystwyth
Hywel and Elinor Thomas, Llundain
Margaret Thomas, Aber-arth

David and Margaret Wells, Ontario
Bowen Williams, New Barnet
Jeanette Williams
Nigel Williams, Llundain

Diolch yn arbennig i Margaret Jenkins, Wembley a awgrymodd i mi gynifer o gysylltiadau defnyddiol.

Rwy'n ddyledus hefyd i'r sefydliadau canlynol:

Y Llyfrgell Brydeinig
Archifau Ceredigion
Llyfrgell Ceredigion, Cangen Aberaeron
Cymdeithas Hanes Teuluol y Cymry yn Llundain
Llyfrgell Ganolog Kensington

Llyfrgell Genedlaethol Cymru
Gwesty'r Talbot, Tregaron
Tŷ Bwyta KitKat, Toronto

Diolch i Lyn Ebenezer am ei waith golygu. Heb ei frwdfrydedd ef a'i amynedd di-baid byddwn wedi rhoi'r gorau i'r syniad ar ei enedigaeth. A diolch i Nia Roberts o Wasg Carreg Gwalch am y golygu terfynol ac am ei hawgrymiadau gwerthfawr.

Cydnabyddiaeth lluniau

32 (top) Glyn Lewis
   (gwaelod) Llyfrgell Ganolog Kensington, Llundain
35 Glyn Lewis
45 (top) Edwin Jones
   (gwaelod) Ifor Lloyd
46 Glyn Lewis
77 (gwaelod, de) Carys Bridden
78 (top) Helen Jones
   (gwaelod) Gwenllian Jenkins
80 Christine Boudier
81 Jon Meirion Jones
89 Richard a Bethan Hartnup
91 Richard a Jois Snelson
93 S4C (top) Margaret Jenkins
103   (gwaelod) Andrew Jones
105   Mary Bott
109   Margaret Jenkins
115   (top) Dilys Scott
   (gwaelod) Emrys Jones
116   Gwenllian Jenkins
131   (top) Y Brodyr Lewis
   (gwaelod) Y teulu Jones

144   Mary Bott
145   John Lloyd
147   Ifor Lloyd
148   Mary Bott
149   (top) Rod Davies
    (gwaelod) Gwen Manley
150   (top) Christine Baudier
    (gwaelod) Ieuan Parry-Williams
151   Glyn Lewis

Prif ffynonellau

Aberdare Leader 22 Ionawr 1870

Aberystwyth Observer 9 June 1904

Atkins, P. J.: London's intra-urban milk supply circa 1790–1914, published 1977. *Transactions of the Institute of British Geographers* New Series 2

Barcud, Y, Rhifyn 7 1976: Hanes Porthmon gan Mrs Jane Davies

Booth, Charles: The Life and Labour of the Poor in London 1896–1903. Report

Bowen, E. G.: Papurau amrywiol yn Llyfrgell Genedlaethol Cymru a sgyrsiau personol â Richard J. Colyer

Carmarthenshire Historian. Some References to the Cattle Drovers and Carmarthen. Volume 1 1961

Colyer, Richard J.: Welsh Cattle Drovers in the Nineteenth Century. *Cylchgrawn Llyfrgell Genedlaethol Cymru* Gaeaf 1972 XVII/4 (1), Haf 1974 XVIII/3 (2) a Haf 1975 XIX/1 (3)

Colyer, Richard J. eto: *The Welsh Cattle Drovers*. University of Wales Press Cardiff

County Observer and Monmouth Central Adviser 4 Mawrth 1876

Dickens, Charles: *Oliver Twist.* John Williams 1838

Ellis, T I: *Crwydro Llundain*. Christopher Davies Gwasg Merlin 1971

Emmanuel, Alun

Evans, Daniel (Daniel Ddu o Geredigion) *Gwinllan y Bardd* 1831

Evans, Idris: *Hard Road to London*. Steptoes 2009

Farmers Magazine 1856

Francis-Jones, Gwyneth: *Cows, Cardis and Cockneys*. Camelot, Y Borth 1984

Gloucester Journal 4 August 1897

R^d DAVID DAVIES [1900-1958] o Lledrod
Typed mss ? NLW

Cyfrol VI, W. Spurrell & Son, 1916 ??

Hughes, Marjorie: Atgofion Llanfihangel y Creuddyn a Llundain. Gwefan

Atgofion Capel y Garn

Jenkins, Dan: *Cerddi Ysgol Llanycrwys*. Gwasg Gomer, 1934

Jenkins, R. T.: *Hanes Cymru yn y Ddeunawfed Ganrif.* Caerdydd 1928

Jenkins, R. T. eto: *Y Ffordd yng Nghymru*. Hughes a'i Fab 1933

Jones, Emrys gol.: *The Welsh in London 1500–2000*. Cymmrodorion 2001

Jones, Evan: *Cerdded Hen Ffeiriau*. Cymdeithas Lyfrau Ceredigion 1972

Jones, Jon M.: *Morwyr y Cilie.* Cyhoeddiadau Barddas 2002

Jones, T. James: *Dan y Wenallt* (cyf. o *Under Milk Wood*, Dylan Thomas). Gwasg Gomer 1968

Leech, Alan: *Dan Jenkins Pentrefelin.* Y Lolfa 2011

Prichard, Rhys: *Cannwyll y Cymry*. Caerfyrddin 1807

Rees, John Roderick: *Cerddi John Roderick Rees*. Cymdeithas Lyfrau Ceredigion 1984

Rhys, Manon: *Siglo'r Crud*, 1998; *Rhannu'r Gwely*, 1999; *Cwilt Rhacs* (1999). Gwasg Gomer (Trioled 'Y Palmant Aur)

Roberts, Glyn: *I Take This City*. Jarrods 1933

Roberts, Gomer M.: *Y Ddinas Gadarn: Hanes Eglwys Jewin*. Pwyllgor Dathlu Daucanmlwyddiant Jewin 1974

Roberts, Gomer M. eto: *Dafydd Jones o Gaeo*. Gwasg Aberystwyth 1948

Taylor, David: London's Milk Supply 1850–1900 (Agricultural History Society 1971)

Star 1937

Welsh Gazette Chwefror 1928

Welsh National Bazaar in Aid of the London C. M. Churches. Report 1912

Wentham, E. H.: The London Welsh Milk Trade 1860–1900. *Economic History Review* New Series. 1964

Williams, Llewelyn (gol.): *Hanes Eglwys y Tabernacl, Kings Cross 1847–1947*. Llundain 1947

Williams-Davies, John: Merched y Gerddi: A Seasonal Migration of Female Labour from Rural Wales. *Folk Life* 15, 1977